墨点字帖

余中元教你学书法

九成宫醴泉铭

名师精讲教程

楷書

余中元/编写

长江出版传媒
湖北美术出版社

图书在版编目（CIP）数据

九成宫醴泉铭 / 余中元编写 . —武汉：湖北美术出版社，2013. 12（2022. 3 重印）
（余中元教你学书法）
ISBN 978-7-5394-6622-4

Ⅰ . ①九… Ⅱ . ①余… Ⅲ . ①楷书 - 碑帖 - 中国 - 唐代 Ⅳ . ① J292. 24

中国版本图书馆 CIP 数据核字（2013）第 291593 号

责任编辑：肖志娅
策　　划：墨点字帖
封面设计：墨点字帖

余中元教你学书法
九成宫醴泉铭　　◎余中元　编写

出版发行：长江出版传媒　湖北美术出版社
地　　址：武汉市洪山区雄楚大道 268 号 B 座
邮　　编：430070
电　　话：（027）87391256　87679564
网　　址：http://www.hbaress.com.cn
E-mail：hbapress@vip.sina.com
印　　刷：崇阳文昌印务股份有限公司
开　　本：889mm × 1194mm　1/16
印　　张：5
版　　次：2014 年 5 月第 1 版　2022 年 3 月第 6 次印刷
定　　价：25.00 元

前 言

余中元，中国书法家协会会员，中国硬笔书法家协会会员，中国钢笔书法大赛评委，江苏省徐州市书法家协会教育委员会委员。1985年学书，精研历代名帖二十余年，至今从事书法教育十三年，书法软硬笔兼擅，取法宽广，风格多变，擅长同时创作风格跨度极大的作品。早年主要致力于硬笔书法，近几年侧重于毛笔书法，各体兼擅。其书法作品广泛展示于各专业报刊杂志、辞书及网络，被数十家艺术机构、博物馆等单位及海内外藏家收藏。在教学中也取得了丰硕的成果，有多位学生考入中国美术学院及国内顶尖专业学府。

书法是我国具有悠久历史的传统艺术，在世界上具有广泛而深远的影响。书法艺术包括"形、神"两方面。"形"的美主要运用点线、结构、疏密、轻重、行笔的缓急组成形象的"字形"，以这形式的美、力度的美、结构的美唤起人们的情趣和美感。"神"的美，指的是线条组合后总体的外貌。书家以唯物的、运动着的气势和本能，勃发着热爱生活的审美理想。"壮则雄健以嵑嶫，丽则绮靡以清遒。"这就是书法"神"美的应有体现。

古人说，情之喜、怒、哀、乐各有分数，体现在书者的广阔胸怀中就是：喜则气和而字舒；怒则气愤而字险；哀则气郁而字敛；乐则气平而字丽。我国书法艺术"形神"兼备，气势生动！正是这种美，体现了中国书法艺术的价值已被世界所接受和重视。

为传承中华艺术瑰宝，同时也为提升书法爱好者自身的修养，作者倾心编写了本套《名家讲授——经典碑帖技法教程》。本套书共5本，包括《汉隶·＜曹全碑＞入门》、《魏碑·＜张猛龙碑＞＜张黑女墓志＞入门》、《唐楷·欧阳询＜九成宫醴泉铭＞技法精讲》、《唐楷·褚遂良＜雁塔圣教序＞技法精讲》、《行书·怀仁＜集王羲之圣教序＞技法精讲》，前两本适合初学者入门使用，后三本供有一定书法功底的爱好者进一步提升书法水平使用。

本套书作者选用的均是经典名碑，最大限度地还原了原碑的真实性，并配以精炼独到的技法详解，真正为毛笔书法教学及毛笔书法爱好者提供了一套科学、简单、快速有效的课本。循序渐进、由浅入深地进行学习，定能获益良多。

在本套书的编写过程中，作者废寝忘食、呕心沥血，数次累倒入院治疗，花费了大量的精力；编辑环节的每位同志在此套书上更是细致入微，精益求精，力求使它臻于完美与精妙。但编辑过程中的疏漏之处依然难免，希望大家在使用过程中提出宝贵意见。

目录

欧阳询及《九成宫醴泉铭》

欧阳询(公元557~641)字信本,潭州临湘(今湖南长沙)人。隋时官太常博士,唐时封为太子率更令,也称"欧阳率更"。其书后世称为"欧体",亦称"率更体"。欧阳询是唐初伟大的书法家,其身历陈、隋、唐三朝,阅历丰富,博学多才。其书熔"二王"与北碑于一炉,从他的传世诸帖即可窥见其书风演变和融汇过程。这种兼收南帖北碑之精华的绝世之举其意义极其重要,尤其在书学思维上,中国书法从此进入一个新的境界。欧阳询对隶、楷、行、草均擅长,但以楷成就最大,也最著名。据传他长相很丑,但聪明过人,读书甚至能一目十行,又特别勤奋好学,尤其在书法上用功之深、功力之强恐怕当时无人能及,其过晋代大家索靖所书之碑前三折三返的故事足以证明这一点。其书在当时已远播海外,高丽国不远万里专门求其墨宝,足见其书名之远,其书之贵!

欧阳询传世名作较多,楷书有《皇甫诞碑》、《化度寺碑》、《九成宫醴泉铭》、《房彦谦碑》、《般若波罗密多心经》等,行书有《卜商帖》、《张翰帖》等,草书有《草书千字文》等,其中尤以楷书《九成宫醴泉铭》最为著名,是其代表作。

《九成宫醴泉铭》刻于唐贞观六年(公元632年),全碑正文共二十四行,每行四十九字,由魏徵撰文,记载唐太宗在九成宫避暑时发现泉水之事。此时,欧阳询虽已七十六岁高龄,但其楷书已臻化境,加之碑是奉皇帝之命所书,故此碑字字珠玑,意蕴绵绝,严谨自然,堪称完美之作,在书史上占据极其重要的地位,作为楷书四大体的"欧体"当是以此碑为准的。《九成宫醴泉铭》笔法以方直为主调,但又熔铸了"二王"精致、圆润的笔意,笔笔看似强硬,但细看又温柔可人,其结体上以险峻开张为主,但细看又极平稳,碑中的每一个笔画、每一个部分皆各司其职,各占其位,各乎其理,各守其法,各具其态,真是俯仰有致,开合有度,从奇反正,苦心经营,而又顺通自然。其结构之精准,法度之严谨,实在达到楷书的极致,作为楷书学习的最佳典范是当之无愧的。尤其在结构上，其完美细致、且易追摹学习的体系和范式，可以让我们很快打下坚实的结构基础。

欧阳询与虞世南、褚遂良、薛稷四人被合称为“初唐四大家”，以《九成宫醴泉铭》为代表作的欧体与颜体、柳体、赵体又合称“楷书四大体”，可见欧体的重要地位。但笔者认为在这“楷书四大体”中堪称完美的只有“欧体”，学书者如没在欧体上下过工夫，其基本功是不会很牢固的。

明代陈继儒曾评论说：“此帖如深山至人，瘦硬清寒，而神气充腴，能令王者屈膝，非他刻可方驾也。”明代赵涵《石墨镌华》称此碑为“正书第一”。此言不虚也！

第一章 《九成宫醴泉铭》基本笔画

第1课 基本笔画——长横

技法详解：

一、横是书法练习中最重要的笔画，因为横出现的频率远远高于其他笔画，在欧体中，笔法虽很丰富，但关键的运笔方法却只有几个，如起笔动作的侧下与侧转中，即顿挫之法，是大部分笔画都须用到的，所以写好横至关重要！

二、长横写法：1. 从左上到右下侧锋落笔；2. 笔肚向右上稍转（如笔画方，则向右上稍折笔），然后将笔毫调整为向右的中锋状态，同时向右运笔，这就是最关键的“侧转中法”；3. 向右（略右上斜）中锋行笔，并有流畅自然的提按动作，前段为由粗到细，至中间最细；4. 后段由细到粗；5. 收笔时笔肚转向右下，将笔毫转为相对的侧锋状态，同时笔毫提起，至右下角回锋收笔。有些笔画在收笔时，笔肚是先向右上稍转，做势后再转（或折）向右下，有些笔画在最后笔毫提起至右下角时不回锋，直接提出较方尖的角来。

注：横起收处变化余地很多，如在侧下之前笔尖稍藏，可使笔画圆润，直接露锋切下，则左上角方尖，再如入笔藏和收笔顿、回的幅度有大有小，落笔后笔毫铺下也有多有少，起收笔的角度也有很多变化，这中间的任何一个变化都能使横画的形态发生改变。

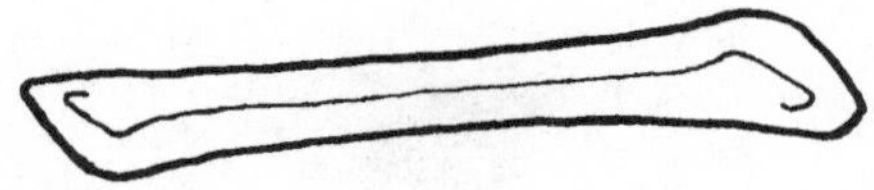

三、在收笔时还有一种写法：运笔将至末端时，大拇指向外捻动笔杆，同时笔锋向右下顺势提起，这种写法自然顺畅，简洁明快，但难度稍大，可参考。前一种通常写法中笔画末端的轮廓是由笔肚完成的，而后一种捻管笔法末端轮廓是笔尖完成的，差异还是很大的。

四、长横并不是绝对水平，我们所说的横平竖直的“横平”是指与水平线有一定的夹角，这叫向右上取势，临写时要认真把握。

上
其
下

一
五
言

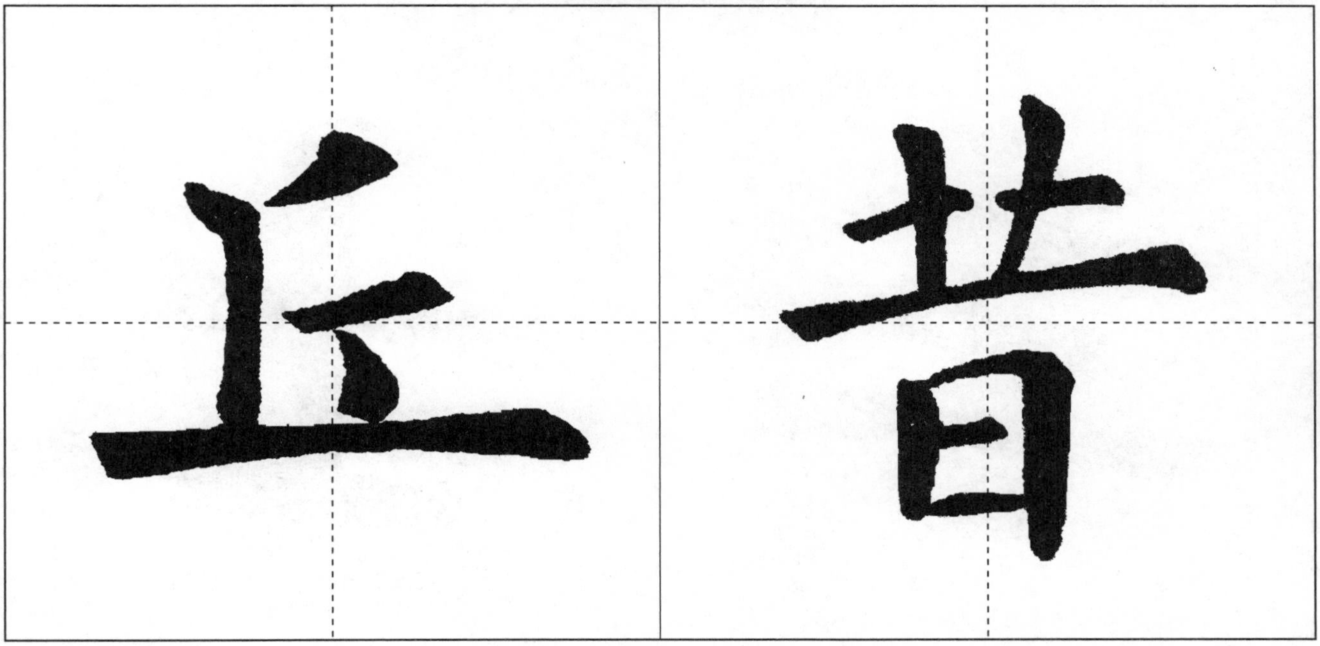

第 2 课　基本笔画——短横、尖横、上翘横

技法详解：

一、短横基本技法要求和长横差不多，只是一般较短，笔画粗细相差不大，但起收笔干净利落。

二、这里所说的尖横包括两种情况：一种是左细右粗，但左边起笔并不是完全尖的，也有很明显的侧下落笔产生的轮廓，只是较右边收尾细得多，整个笔画是由轻到重的。《九成宫醴泉铭》中这类笔画是最多的，其运笔动作与长横也基本一致，只是起笔落笔的侧下只用笔尖一点点，侧转时比长横容易得多。这个笔画也可看做是长横的后半部分。另一种是左边起笔完全是尖的，起笔时是从左或左上顺毫露锋（有时笔尖略藏）入笔，然后直接由轻到重。中锋行笔、收尾方法与长横相同，向右上取势也一样。

三、上翘横属于短横和尖横的一种特殊写法，当短横或尖横处于字的上部时，就用上翘横，其写法为：入笔与短横或尖横相同，行笔至笔画后半部分时，笔锋略向左上，使笔画线条略向上弯，至收尾，笔锋转向左上提起，笔意向左上，特别要注意的是上翘横的右上倾斜方向要略大于其他横，即取势要强烈些。

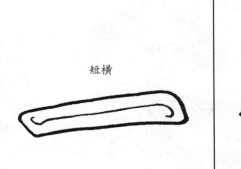

短横

尖横

上翘横

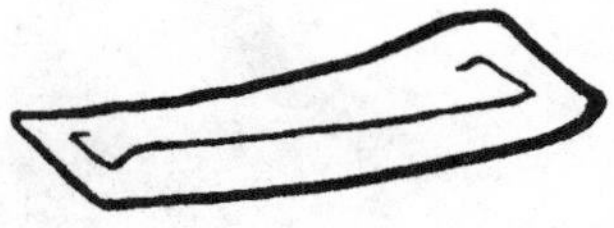

三 士

王 仁

丕 至

有 時

工 正

第3课 基本笔画——短中竖、垂竖

技法详解：

一、在很多碑帖中，竖被写得较简单，而在《九成宫醴泉铭》里，竖的写法被发挥得淋漓尽致，这和欧体字形略长、呈纵势是密切相关的，字形长，竖就须突出，在竖上就要多做文章。这里竖画至少可分为“短中竖、垂竖、悬针竖、垂露竖、弧竖、斜竖”六种。二、短中竖、垂竖这两个笔画在应用时均较短，短中竖突出和强调的是收笔部分，故短中竖多用于字的上半部，垂竖则多用于字的左侧或字的下部。

短中竖写法	1.笔尖略藏； 2.笔毫由左上到右下侧锋铺下； 3.侧转中(见长横部分关于侧转中的技法)； 4.垂直向下中锋行笔，并渐行渐提，使线形呈上粗下细； 5.提锋收笔。		垂竖写法	1. 从左上向右下顺毫入笔，并顺势由轻到重，转向正下方； 2. 由轻到重向正下方中锋行笔； 3.至末提笔向左上，然后向右上回锋收笔。	

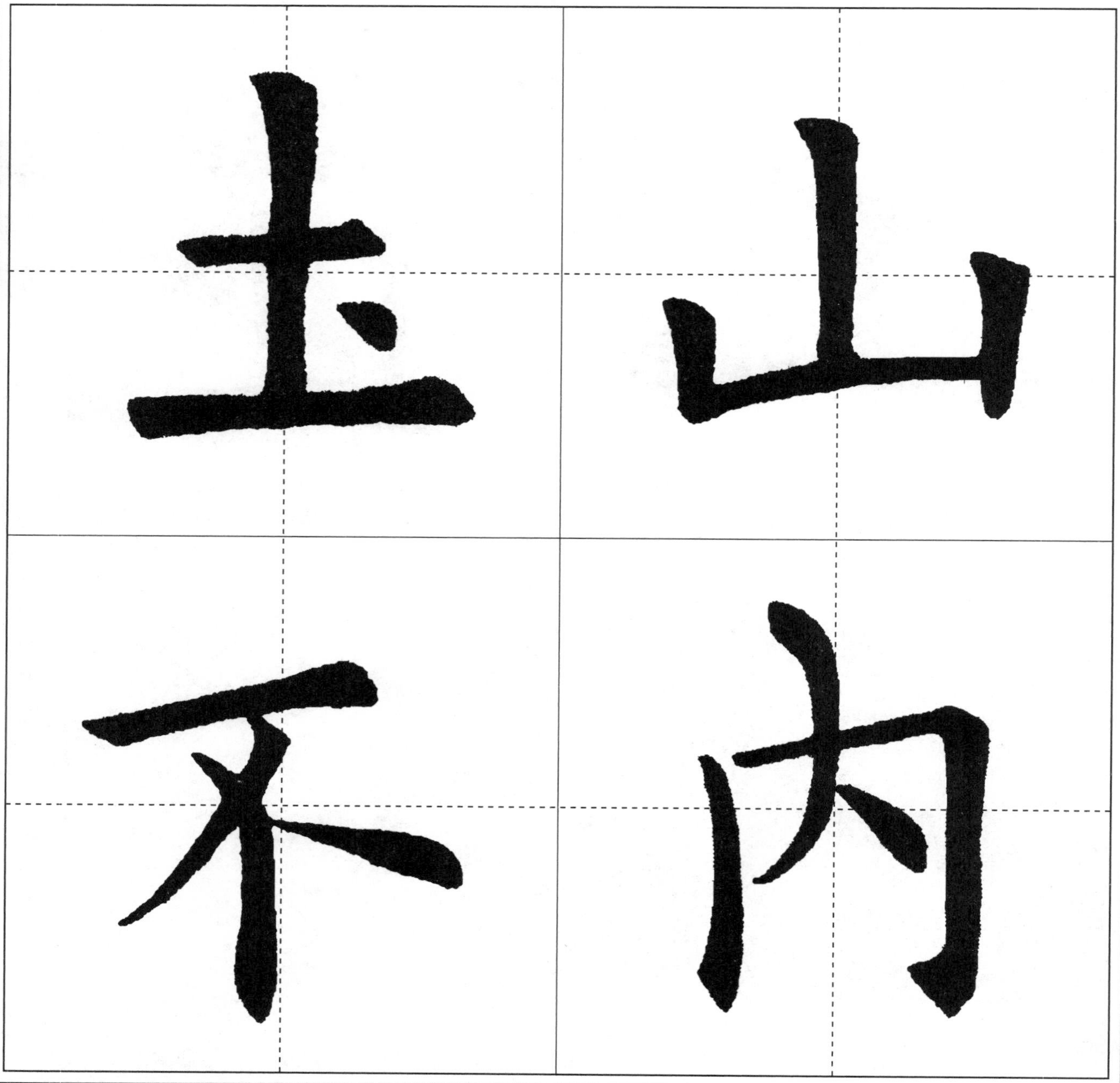

第4课　基本笔画——悬针竖、垂露竖

技法详解：

这里所说的悬针竖和垂露竖一般较长，但悬针竖有时也较短，如“南”。这两个笔画在起收笔部分装饰动作非常明显，悬针竖犹如一把悬空的宝剑，劲健锋利，而垂露竖则稳重厚实；悬针竖多用于一个字的最后一笔，而垂露竖多从上贯到下，常有顶天立地之感。

悬针竖写法	1.笔尖略藏(也有部分笔画不藏锋，是露锋直切)； 2.侧锋铺毫； 3.侧锋转中锋； 4.向正下方中锋行笔，行笔速度不宜快，要垂直有力，力聚毫端； 5.向正下方出锋收笔。	**垂露竖写法**	1.起笔和行笔方法与悬针竖相同，收笔时有两种方法：(1)行笔至尾部笔毫略按，然后向左上提起，再向右上回锋收笔，写法同垂竖，如图中垂露竖①所示；(2)行笔至尾部时笔毫向左侧顿按，随即笔肚转向右下，笔毫顺势向右下逐渐提起，至右下角用笔尖回锋收笔(也可直接提收)，如图中垂露竖②所示。 2.另外，垂露竖的中间行笔部分有许多情况下是粗细相差不大的。但还有一些情况下有明显的由重到轻、再由轻到重的变化，即笔画的中间细一些，如图中垂露竖③所示，这样的垂露竖还可以叫做腰细竖，其运笔方法都是一样的，只是在中间加上一些提按而已，如“悦”、“坤”。

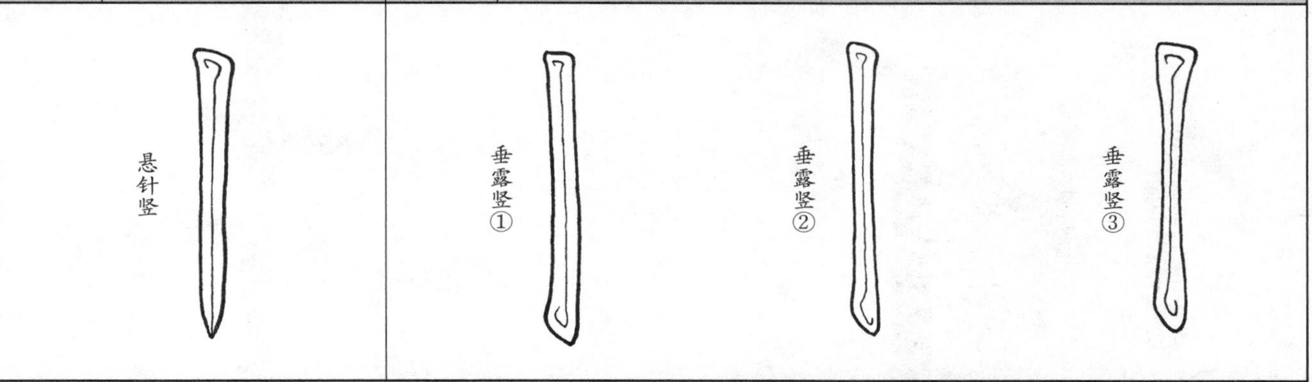

注：如果简单地看，短中竖似乎是垂露竖的上半部分，垂竖是垂露竖的下半部分，这样，在练习时，各笔画虽用法不同，但动作技法上可以是相通的。

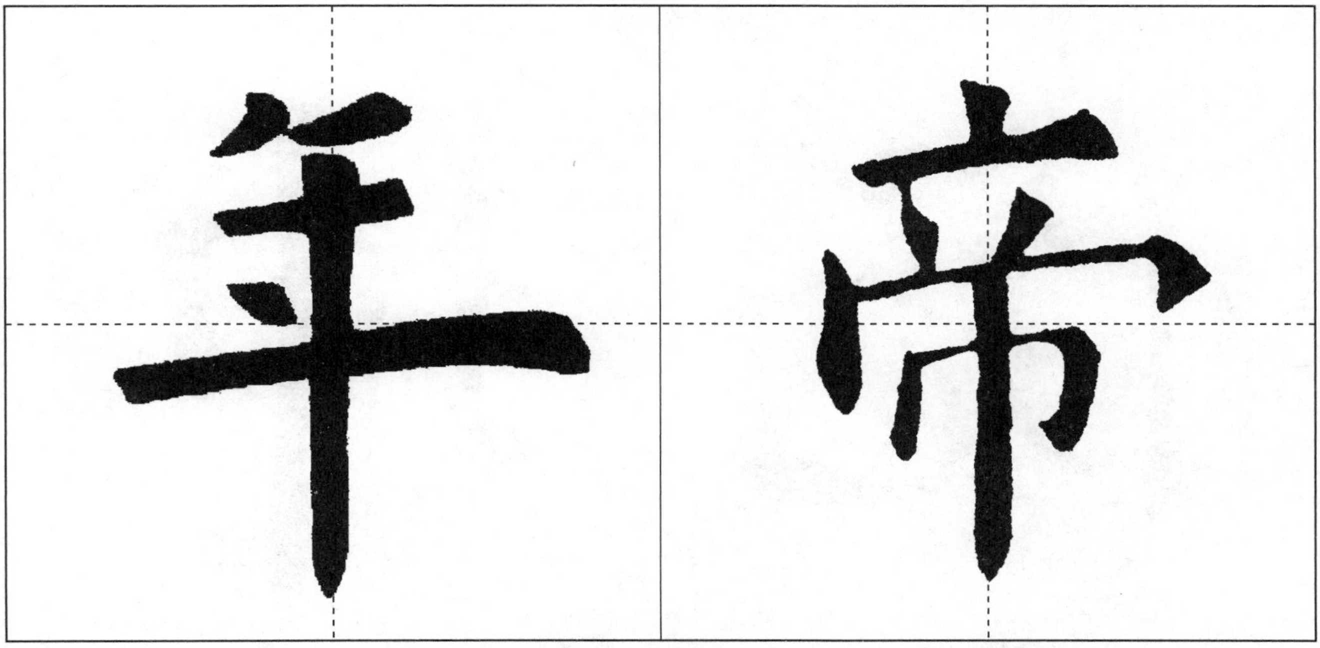

南 井 坤

千 仰 悦

第 5 课　基本笔画——弧竖、斜竖

技法详解：

弧竖写法	弧竖写法与垂露竖一样，只是笔画线条向右略弯曲，一般多用于門字框、国字框中左侧的竖画。		斜竖写法	从左上向右下斜下顺毫入笔，铺毫渐重，至中部笔毫渐提，最后出锋收笔（或回锋收笔）。笔画外形如一弯明月，两头尖中间粗，并且向右下微微弯曲，整个笔画有一定斜度。此笔画很有特点，一般用于“口”、“白”、“皿”等小框的左边。	

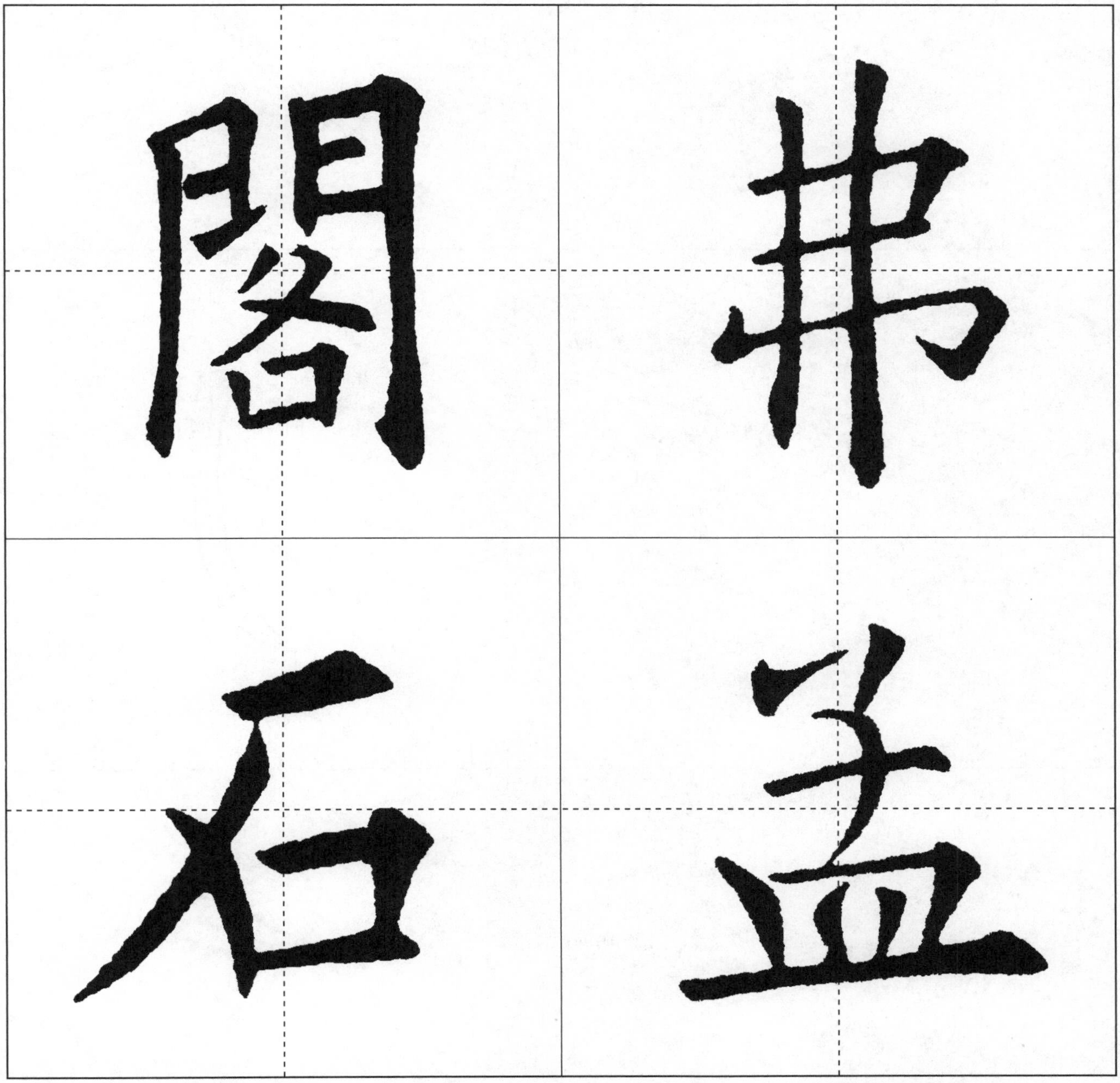

第 6 课　基本笔画——斜撇、竖撇、横撇

技法详解：

在楷书的绝大部分碑帖中，撇画都是一类很复杂的笔画，而且是无法简略的。根据撇在字中应用的斜度，至少可分为斜撇、竖撇、横撇。根据撇画形态，又可分为出锋撇（由重到轻）、柳叶撇（两头尖中间粗）、回锋撇（由轻到重或收尾处回锋），这样加起来足有六种撇，如果再细分还可能更多，足见其繁复和变化之多。下面就从不同角度分析之。

斜撇写法	1.起笔侧下，然后侧锋转中锋，向左下中锋行笔，这些动作技法与竖的起笔动作一样，只是转笔方向略不同，是向左下斜向行笔，行笔过程是由重到轻，渐行渐提，最后出锋收笔，注意行笔时力注笔端，不可轻滑，甚至侧锋扫过，起笔处可方可圆，动作幅度可小可大。 2.斜撇的倾斜方向不固定，要根据实际字形而处理，这就增加了斜撇掌握的难度，不过 45～50 度应该是用得最多的一种方向，练习时多找找这种倾斜的感觉。 3.另外，斜撇有较直的和较弯的，有长撇也有短撇，不管怎么变化，运笔基本方法都一样，在临写时仔细观察体会。	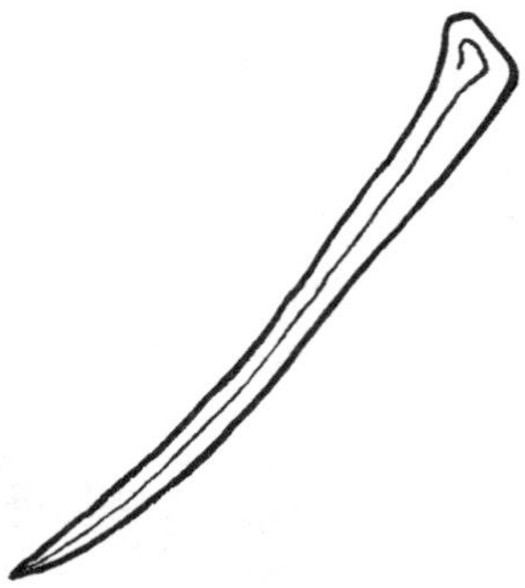
竖撇写法	1.竖撇，顾名思义就是竖和撇的组合，或者说是有竖的特征和写法的撇，其本质还是撇。具体写法：起笔藏锋侧下，随即侧转中向正下方中锋行笔至中间（这段与短中竖写法没有什么区别），继续中锋行笔，但笔锋向左下 60 度方向渐转，并且笔毫渐行渐提，直至出锋收笔。 2.另有一些竖撇，起笔时不是侧下转锋而是顺毫入笔，如“月”，还有一些竖撇，中间行笔过程多了一些轻重起伏，如“史”，是由重到轻，然后由轻到重，再由重到轻，而且撇的部分弯得更多一些。在这些经典传世名帖中，虽是同一种笔画，但还是尽可能写出变化来，我们在临写时一定要注意观察和体会。	
横撇写法	1.笔尖轻藏，从左上向右下侧锋下笔，转笔向下约 15 度左右，中锋行笔，同时笔尖在较短距离内提起，也就是说横撇的倾斜方向和横画接近，另外，在字中一般较短。 2.横撇在应用时极容易和短撇相混，横撇的应用是有其规律的。一般情况下，横撇的下面都有一个横画，且横撇多出现在字的上部，这个规律是比较好把握的，如“后”、“禹”等。	

者從史人分月

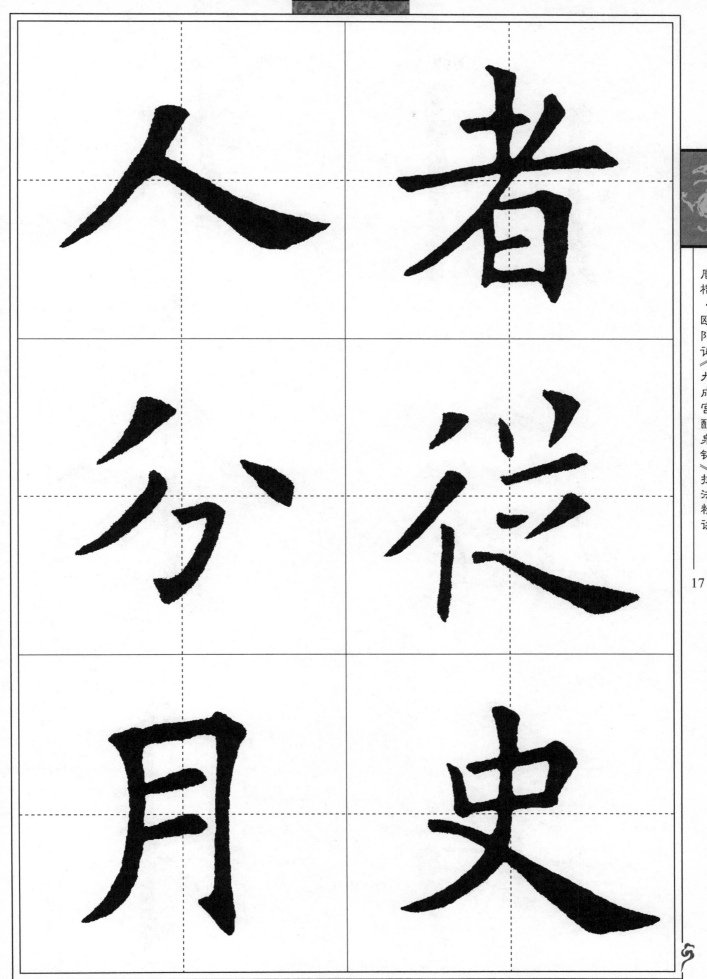

本 乎 身

州 后 禹

第 7 课　基本笔画——出锋撇、回锋撇、柳叶撇

技法详解：

出锋撇写法

出锋撇是指撇的收尾是尖细的，将笔尖送出纸面，露出笔尖的出锋法作为收笔方法的撇。出锋撇在方向上可以是斜撇，也可以是竖撇，也可以是横撇，这主要是从收笔的角度来定义的。出锋撇是楷书最常用的撇，如“反”、“太”、“夕”、“俢”等。

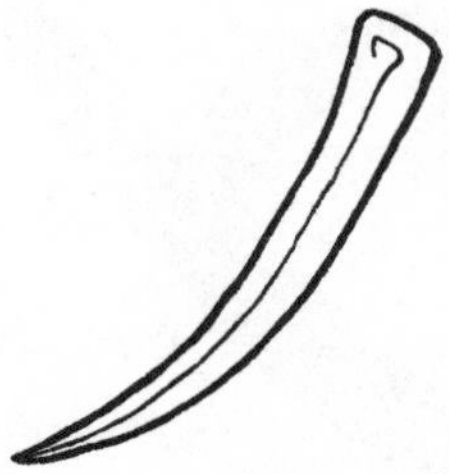

回锋撇写法

回锋撇是指撇的收尾形态不是细的，是由回锋动作来完成的。在撇的收尾动作中，如不是出锋收笔就必须带有回锋意味，有时撇画是由轻到重，留有隶书意韵。回锋时，笔毫提起，既可向上方回，也可以向右上回笔，既可方一些，也可圆一些，如“咸”、“風”等。不过《九成宫醴泉铭》里回锋撇并不多。

柳叶撇写法

有些人称此撇为兰叶撇，也应该是合适的，它的一个明显特征是两头尖中间粗，其写法也很简单，顺锋入笔向左下，由轻到重，再由重到轻，出锋收笔即可。柳叶撇主要着眼的是其轻重变化产生的特殊形状，斜撇中有这种写法，如“石”、“庶”；竖撇中也有这种写法，如“應”等。

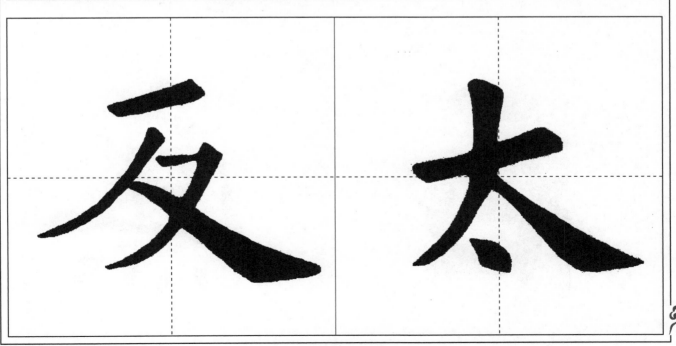

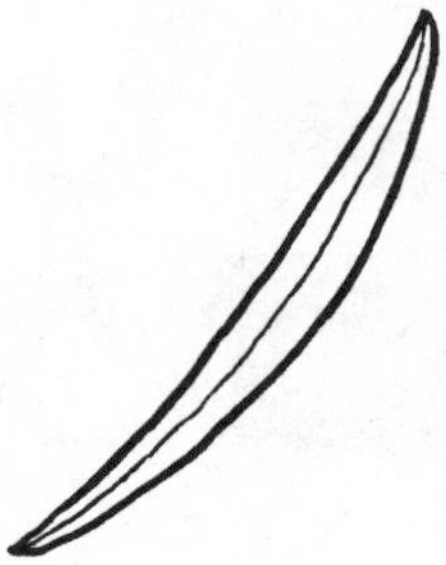

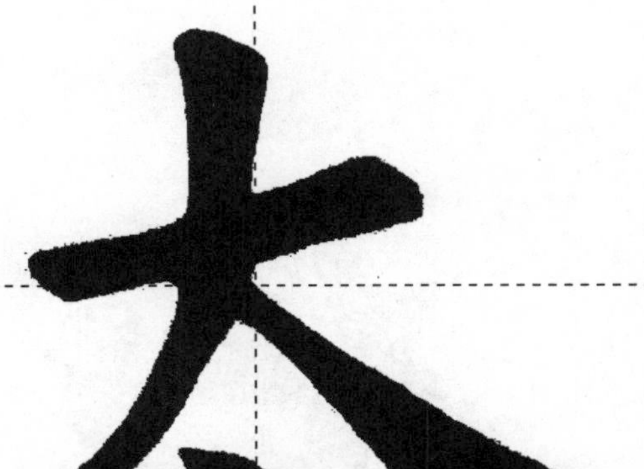

侈　風　庶

夕　咸　石

第 8 课　基本笔画——斜捺、平捺、反捺

技法详解：		
斜捺写法	笔尖向左上逆锋落笔，然后笔锋折回向右下顺毫铺下，向右下中锋行笔，渐行渐重，至末端转笔（如转角较方则须折笔），向右或略右上，最后笔毫在较短距离内提起，出锋收笔。斜捺主要部分与水平线的夹角一般在 45 度左右，向右的部分称为捺脚。注意在转角处笔毫的控制很关键，须反复练习。	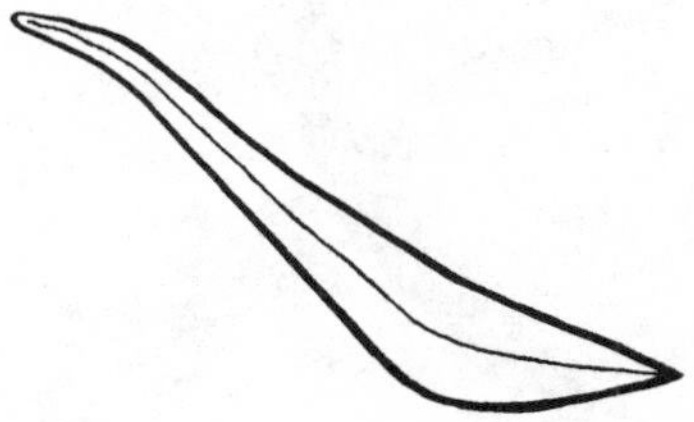
平捺写法	平捺主要部分的用笔方法和斜捺一样，都是由轻到重，再转笔写出由重到轻的捺脚。不同之处：1. 平捺在起笔处先向左边逆锋落笔，然后折向右方一小段，再转向右下；2. 平捺的倾斜方向约 15 度至 30 度左右，明显比斜捺平，一般用于走之底和“之”、“是”、“從”一类字；3. 平捺的捺脚是向右上翘起的，且捺脚较长。	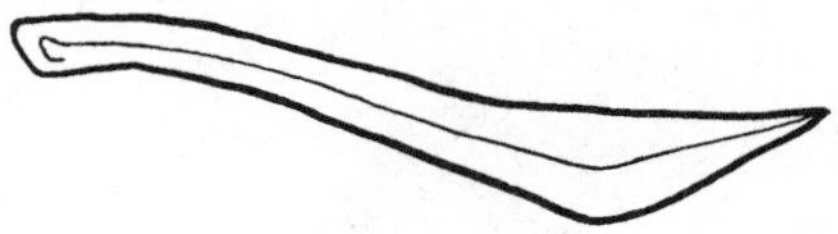
反捺写法	逆锋入笔，返笔向右下，由轻到重，稍行一段后笔肚转向下方，并顺势将笔毫提起，当笔毫大部分提起时，将笔锋向左上方收起。反捺也可称斜长点，既可单独用，也可替代斜捺起到变化的效果。	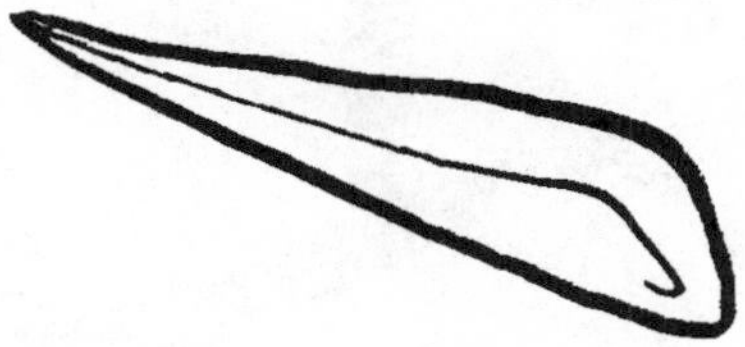

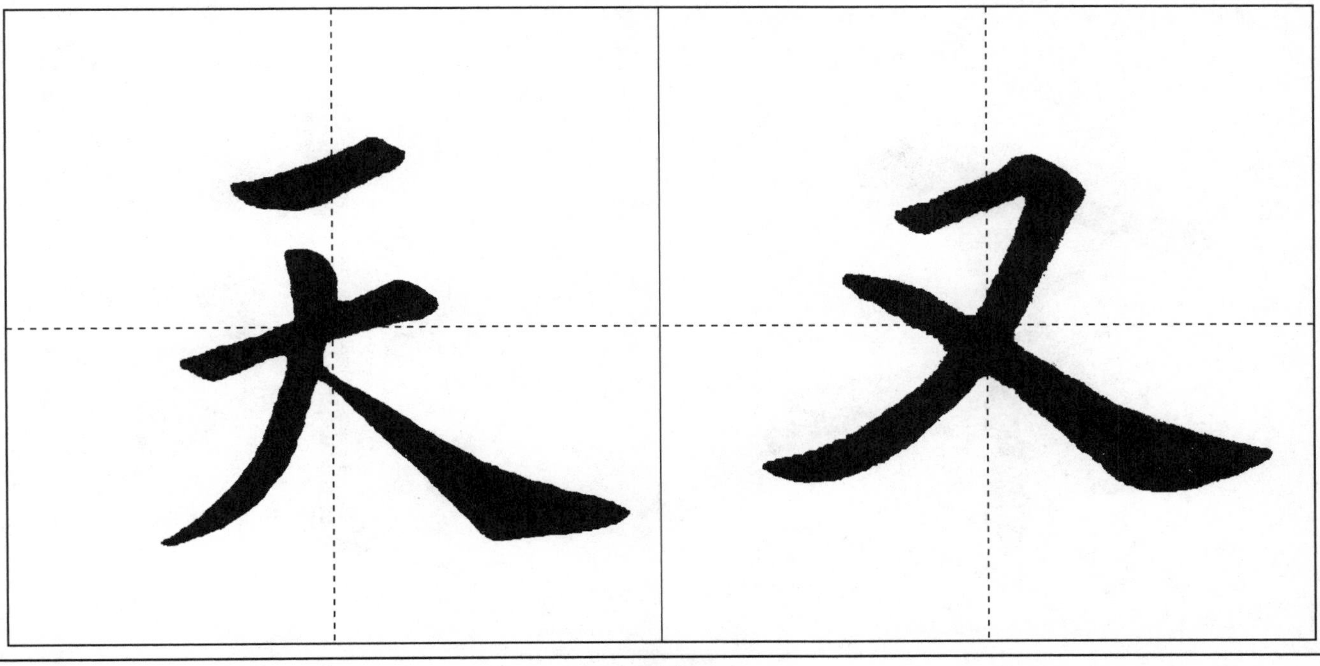

之 從 求

文 是 不

第9课　基本笔画——挑

技法详解：

挑的写法较为单一，也容易掌握，但应用时，其方向变化较多，有倾斜60度的，也有倾斜45度、30度甚至15度的，一般的，45度以上可称为斜挑，45度以下可称为平挑，请注意例字中挑的不同方向。

挑的写法

笔尖轻轻逆锋入纸，侧锋切下，折笔向右上转中锋，中锋行笔由重到轻，出锋收笔。

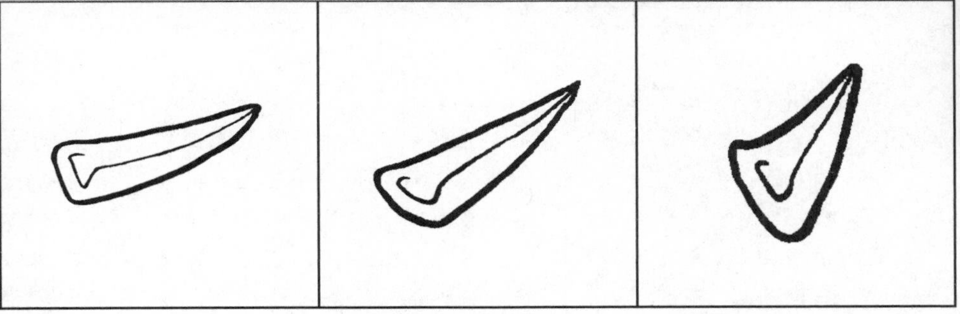

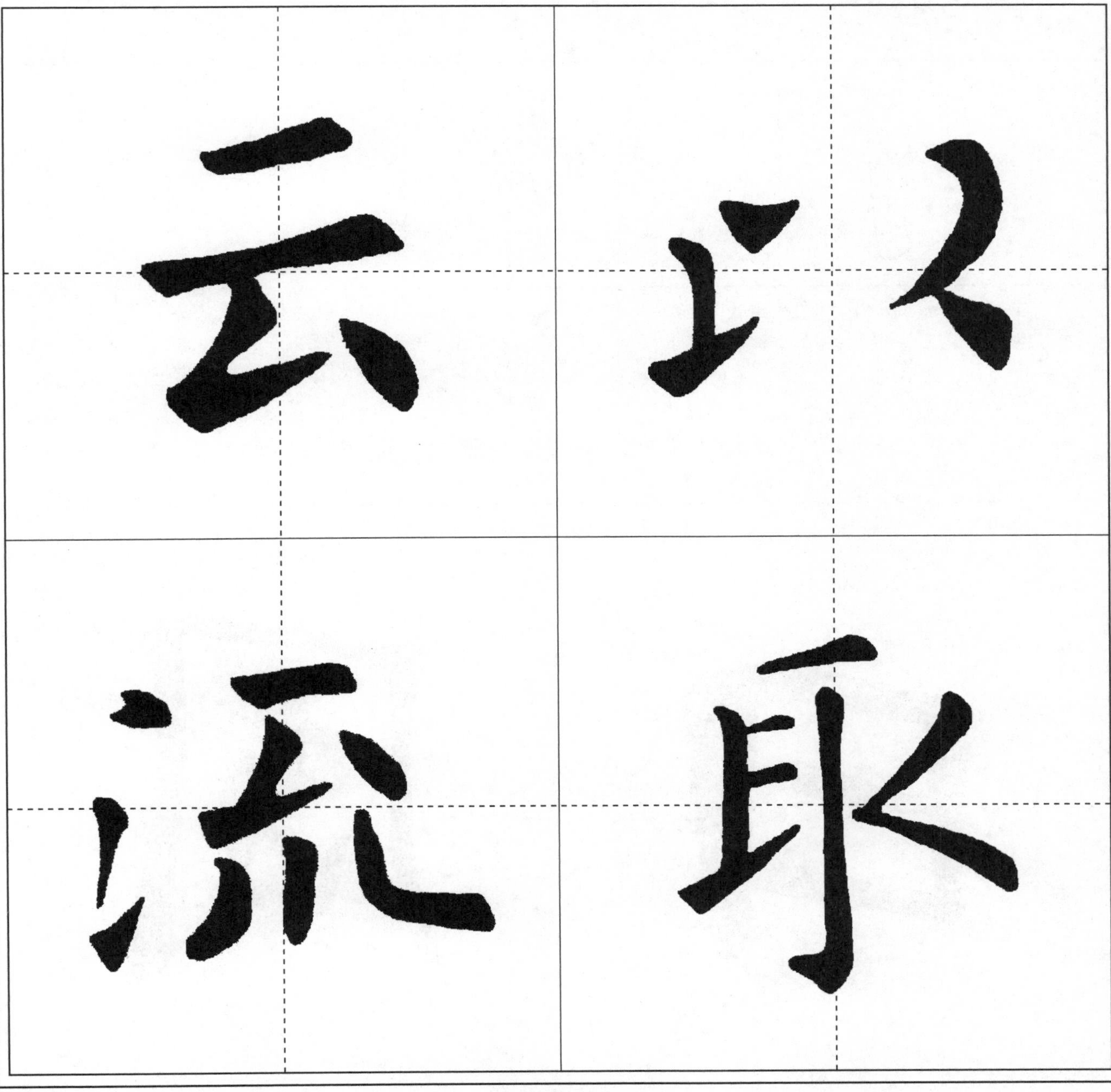

第 10 课　基本笔画——横折

技法详解：

《九成宫醴泉铭》中的横折变化很多，运笔也有一定技术难度，其方圆变化、强弱变化很微妙，但效果差异却很大，注意细心区别和体会。此处列举三种有代表性的写法，可以举一反三地写好大部分的横折。

写法 1：

此为横竖折。在完成短横的基础上，笔毫转向右下，同时顿压，然后笔肚向左下略折，再将笔毫调整为向下的中锋，这也是和竖一样的侧转中动作，下面竖的写法和单独的竖差不多。

写法 2：

此为横斜折。先完成短横，运笔至横的末端时，笔毫略向右上提起，随即向右下顿压，再向左下侧转中，向左下稍斜中锋行笔，回锋收笔完成斜竖。与写法 1 不同的是，转折处略朝右上提起，运笔时多了一个上提动作，且竖是有一定角度的斜竖。

写法 3：

这也是横斜折，与写法 2 相似，但也有一定差别，更主要的是效果差别很大。先完成短横，然后向右上果断提笔，其幅度要大于写法 2，笔锋提至快离开纸面时，果断折向右下，稍铺毫，即以侧转中的方法调整为向左下斜向的中锋行笔，回锋收笔完成斜竖。

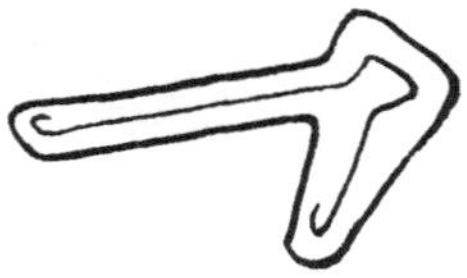

注：这种横斜折有明显的圭角和向右上拱起，在《九成宫醴泉铭》中用得极多，是本帖的一大特色，这样的笔画使字显得峭拔方整、筋骨强健，应该是借鉴北碑的写法。作为初学者，一气呵成完成横竖转折动作，可能有一定困难，我们可以把这个笔画看作是横和竖相加，分作两笔完成。那么，转折处的动作实际就是竖的起笔动作，尤其是写法 3，可用两笔来完成。这样，笔画效果一样，而难度减小很多。当然，如果熟练后还是应该一笔完成的。其他折画还有竖折、撇折都可以采用分两笔写的办法，熟练后再一笔完成就很容易了，此处略谈。

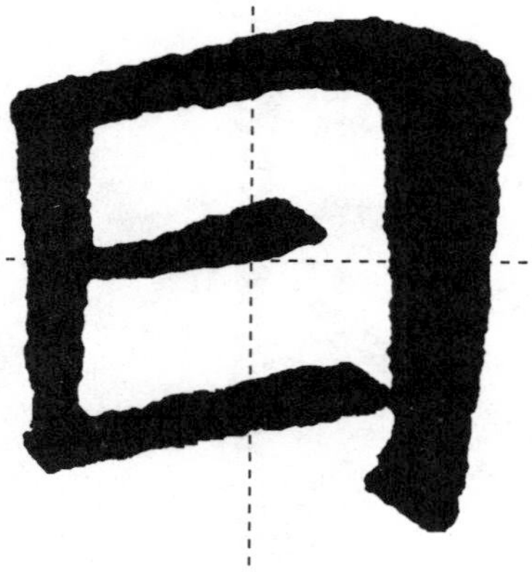

四
品
色
固
尚
申

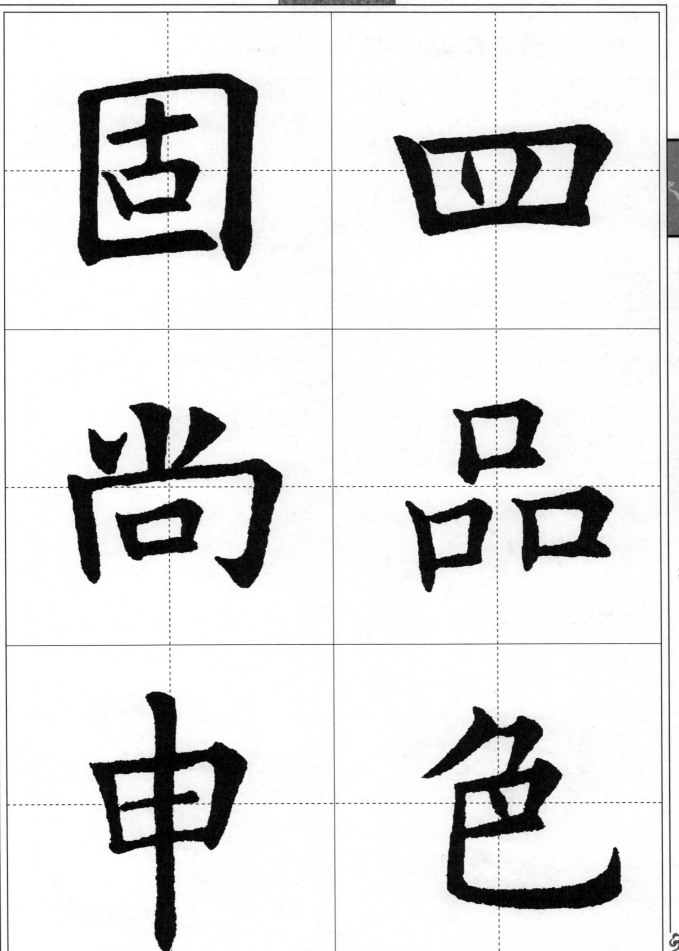

第11课　基本笔画——横钩、竖钩

技法详解：

一、**横钩**　横钩写法与横折相差不大，只是将竖变成短撇。欧体的横钩一般横较细。

二、**竖钩**　竖钩应该是难度非常大的笔画，很多技法书在此一带而过。笔者在教学中也发现竖钩出的问题是最多的，因为在钩的时候对笔锋控制的要求非常高，因此练习时得特别注意。

横钩写法

竖钩写法1

在完成竖的基础上，笔毫向左下略转，然后笔肚向上顶起，并顺势翻向左上提收，根据向左上的幅度，钩部分的上沿既可以是朝左上斜，也可以向正左方平出。

竖钩写法2

这种钩的形态是《九成宫醴泉铭》特有的，写起来很不容易，其难点就在于钩的上沿线是朝左下的。在完成竖的基础上，笔肚向左下略转，然后笔毫向左方“扭翻”，并顺势提收。这个笔画的难度就在这个“扭翻”上，当笔毫中锋跪行至末端时，笔尖在上方，笔肚在最下端，笔毫突然向左翻，并提收时，笔尖是向左下运行，而笔肚是向左上运行的，最后汇至左方的钩尖处，笔尖正好提起。注意动作不要太快，否则，钩处就虚飘或者“毛”。

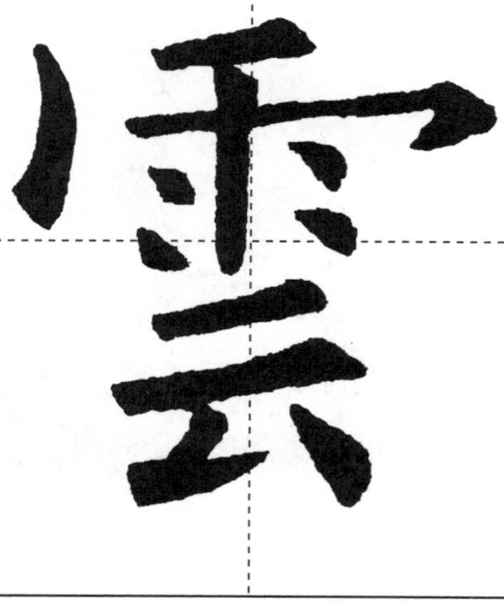

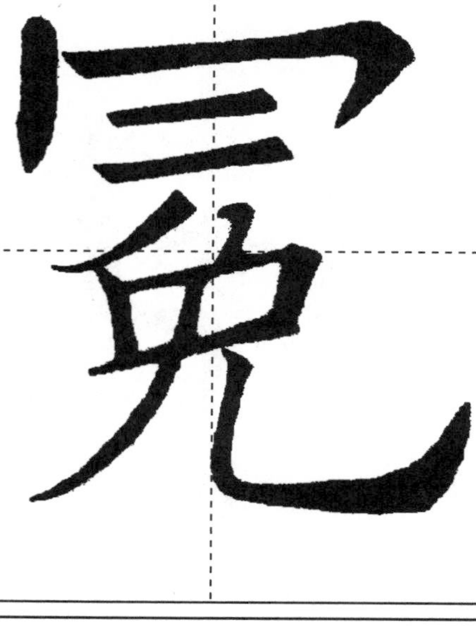

官
可
則
寶
身
壯

第12课　基本笔画——斜钩、卧钩、竖弯钩

技法详解：

斜钩写法	起笔侧下铺毫，转笔向右下方中锋行笔，行笔时有一定轻重变化，先由重到轻，再由轻到重，并且，中间的长线条是均匀的弧线，至末端稍顿，然后笔毫向上或左上顶起再转向上方或右上提锋钩出。须注意的是，斜钩一般很长，在字中拉得很开，斜钩与水平线的夹角一般为60度左右。	
卧钩写法	顺毫入笔，向右下，向右行笔，完成由轻到重的弧线，至末端最重要处稍顿，笔肚果断折向左上方，笔毫顺势向左上方逆势提笔逐渐钩出。注意折笔要有力，但钩出时不宜快，笔毫要聚拢，不可散锋，卧钩的曲线要圆曲有力。	
竖弯钩写法	完成一个向右略斜的短竖，至竖下端笔毫略提，并向右下稍转，稍圆转过渡后转向正右方，继续中锋行笔，并且由轻到重，最后转笔向上或右上方提锋钩出。注意钩处由隶书的雁尾演化而来，铺毫较重。轻重过渡圆润，与其他的钩处须顿挫翻折相差很大。	

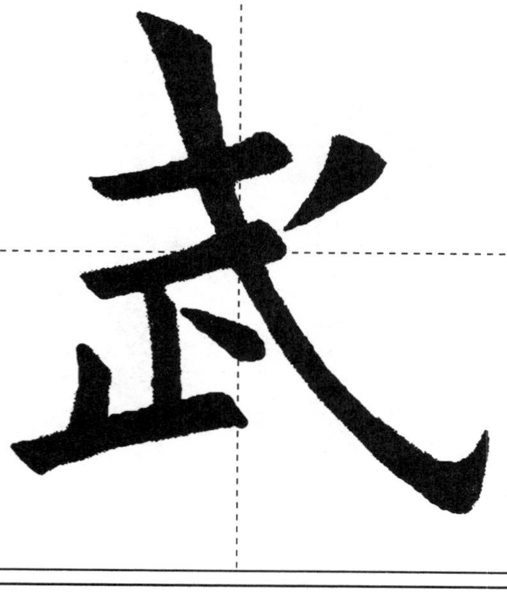

心
也
冠
感
必
元

第 13 课　基本笔画——点

技法详解：

点的实质是横、竖、撇、捺、挑等笔画的缩短、缩小，也可以理解为这些笔画的起收笔部分。可以说，多数笔画下笔即是在写“点”，所谓“点画”即是指此。作为自身来说，点的写法很多，变化丰富，灵动活泼，极富美感，在字中能起不可缺少的平衡和调节作用。这些，在多数碑帖中都能体会到，在《九成宫醴泉铭》中更是如此。

斜点写法

斜点也可以叫侧点。入笔时可直接露锋下笔，也可笔尖稍取逆势再向右下顺笔铺毫。稍驻笔后，笔肚向左下转行，同时，笔毫渐提，再转向左上回锋提收。斜点与水平线的夹角一般为 45 度。

带下点写法

笔尖轻藏（或露锋）入纸后，顺笔铺毫，然后笔肚带动笔尖向左下转，并顺势提锋收笔。这个笔画借用的是行书中的写法，有向下连带之意。

左点写法

因多在左边而得名。起笔轻藏或露锋均可，然后向左下铺毫，稍驻笔后，笔毫向下方略提收，然后转（或折，轮廓方用折）向左上，再转向右上回锋收笔。

横点写法

写法同尖横，只是较短，主要是中间行笔过程短了，起收笔动作一点也不能少。具体写法参见尖横的练习。

挑点写法、竖点、撇点、

这三个点皆由悬针竖、出锋斜撇、挑画缩短而成，主要是行笔部分短了，起收笔动作要领是一样的。具体写法要领参见悬针竖、斜撇、挑等笔画的练习。

京縣充
文恩令

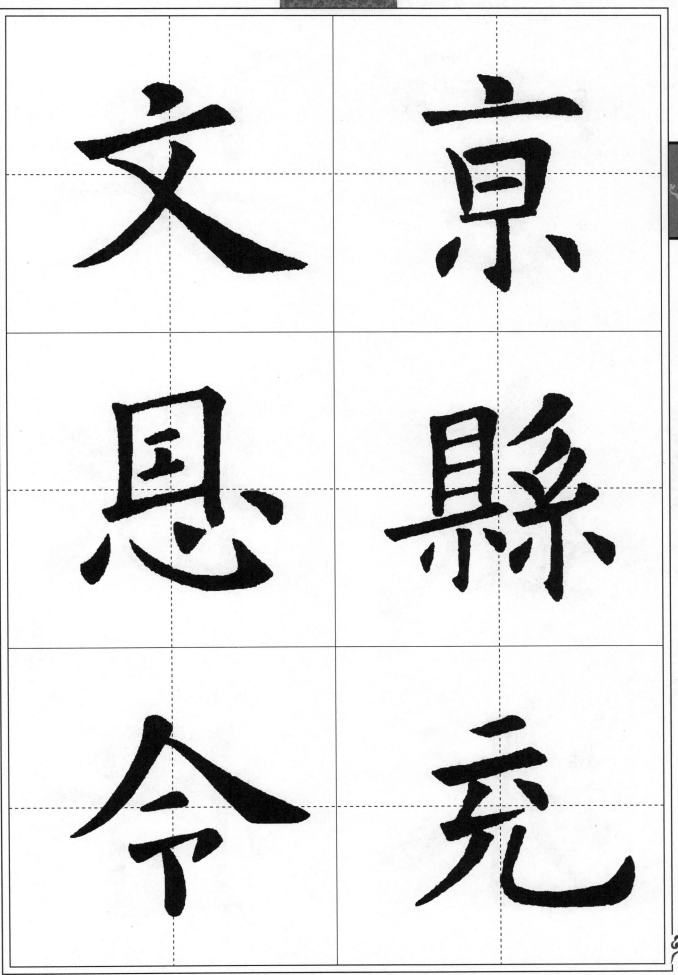

安

欲

将

宫

盛

冰

第二章 《九成宫醴泉铭》部分常见偏旁部首练习

第14课 偏旁部首——单人旁、三点水、木字旁、提手旁

临写提示：

单人旁：此偏旁的写法较灵活，主要根据右部变化而变化：如果右部较短小时，可撇长竖短，竖可写作柔和的垂竖，如“仁”；如果右部较大、较长，则撇短、竖长，竖相应写得直一些，且整个偏旁都较为收缩。**三点水**：此偏旁与其他碑帖相比很有特点，似乎有《张猛龙碑》的影子。第一点一般写作撇点或带下点，第二点写作竖点，第三点为挑点，尤其是第二点与众不同，有时是与第三点连在一起的。另外，一般碑帖中的三点水是呈环状分布，即第二点靠左，而本帖中三点常在一个垂直线上。**木字旁**：第一笔短横方劲有力，第二笔为垂露竖，收笔有明显的三角形，近似于竖钩，第三、四笔短撇与斜点相对较弱，竖在横的右侧穿过，此为避让写法。**提手旁**：第一笔多为尖短横，第二笔竖钩穿过横的右侧，第三笔为平挑，挑从较远的左下向右上飞出，挑尖略穿过竖钩即收，突出其避让之势。

应用：请用以上偏旁写法创作出下列字：但、伍、优、江、法、渝、杜、林、械、托、振、接。

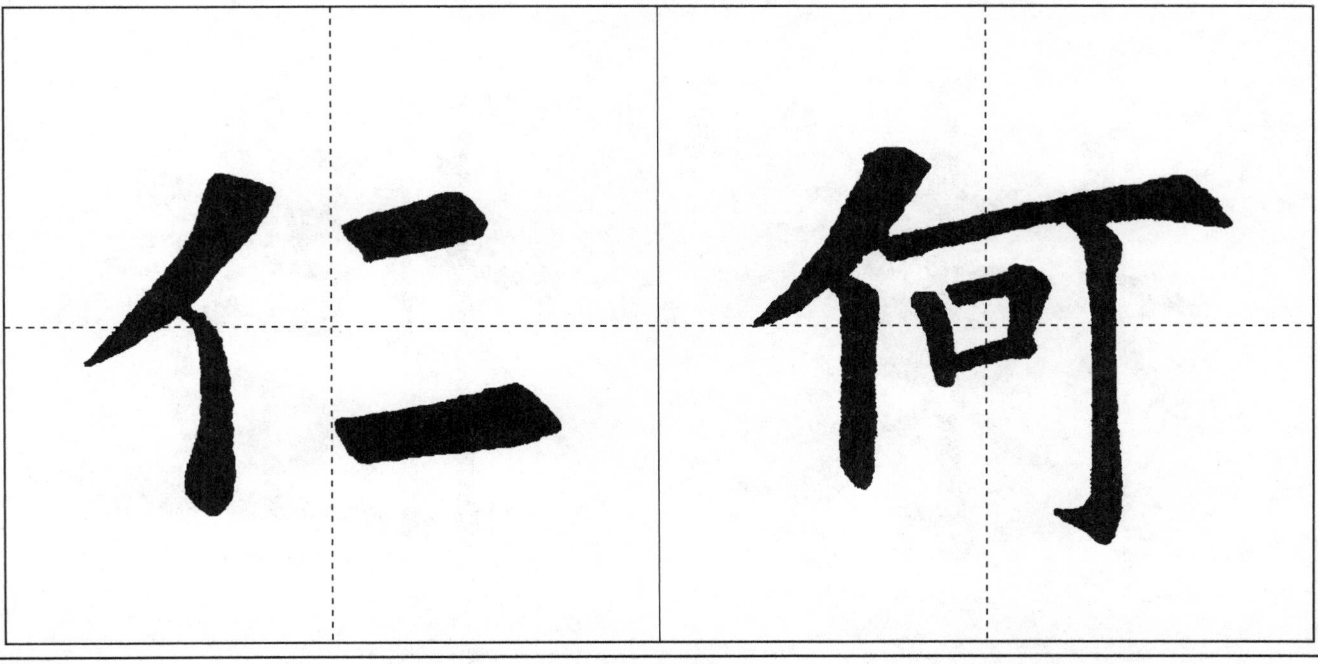

深 派 檻

億 漢 棟

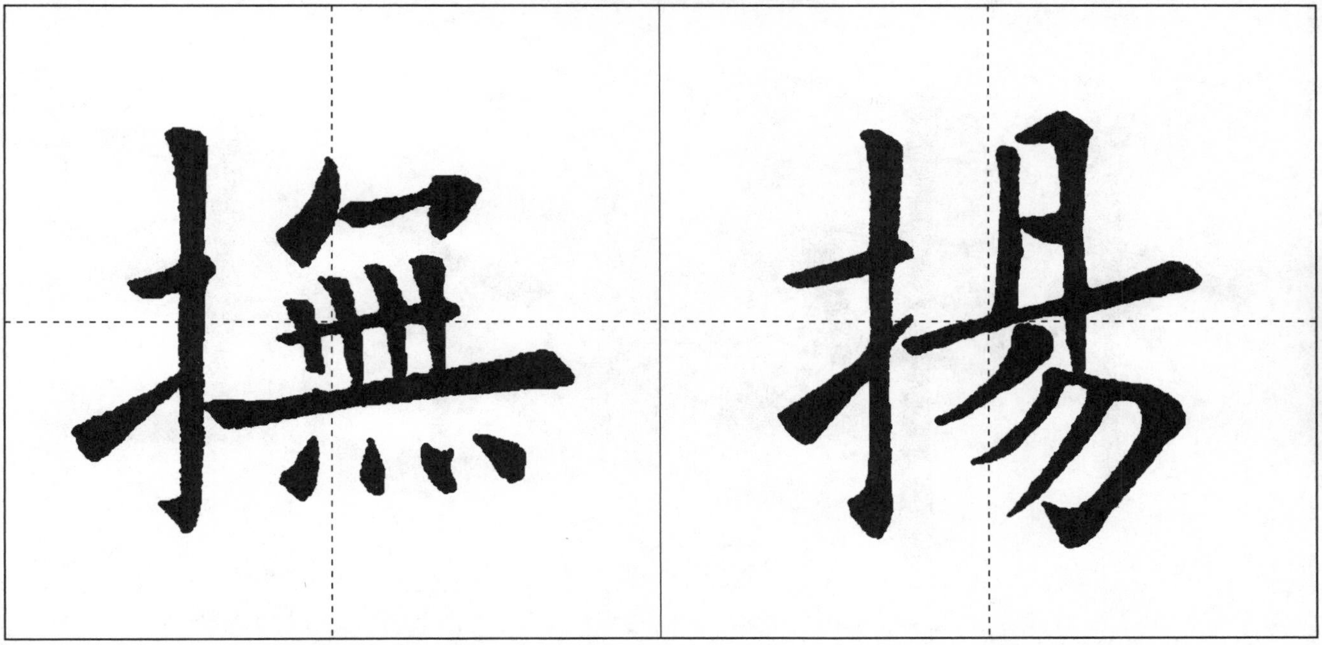

第15课　偏旁部首——神示旁、双人旁、竖心旁、绞丝旁

临写提示：

神示旁：此偏旁有两种写法：一种如“神”字，撇和竖较短，而横较长，撇从横上落笔而出，整个偏旁突出横，与右部“申”字的长竖形成一横一纵的对比，自然而严谨；另一种如“祉”中，横明显弱，突出的是撇和竖，撇从横的收尾上顶强势而出，竖与右部底横是一纵一横的对比。从此偏旁的处理可窥见欧体结字的巧妙。**双人旁**：在单人旁的基础上多了一短撇（也可看作撇点），第一笔短撇完成后，第二撇对着上撇的中部落笔较好，竖的位置可根据右部情况调整，以稳定匀称为原则。**竖心旁**：竖一般较长，多用腰细的垂露竖，垂直有力，左点重而低，而右点轻而高，与竖离得也近，仍然是为了避让，与右部的组合也是据情而定，右低则左高，右高则左低。**绞丝旁**：此偏旁有两种写法：一种如“编”中，下部为“小”字，一种如“經”字，下部为三点。两种虽有不同，但上部主体是相同的。第一笔短撇是相同的，第二笔为向右下的“挑”，通常此两笔应是写作一笔的撇挑，这种写法也应该是欧体的特色吧！第三笔撇长于第一撇很多，这些应注意。另外，“經”中的绞丝下部三点为均匀的放射状分布，这在结构上有向中间聚拢之意，正合欧字的中间紧结的特点，临写时须注意这些。

应用：请用以上偏旁写法创作出下列字：祖、福、祥、徵、很、復、忙、惜、悄、組、紋、綿。

神 祉

祥 從

德 後

怡 恍

懐 編

紝 絶

第 16 课　偏旁部首——金字旁、左耳旁、女字旁、口字旁

临写提示：

金字旁：作左偏旁时，人字头收缩很多，三横均向右上斜，竖在中横的右侧穿过，两点与竖的距离都不同，右点明显紧靠竖，其较强的斜势、动感与作独体字的金差异极大。在“錄”、“針”中的金字旁是收缩让右的。**左耳旁**：左耳旁中，竖多为较长的垂露竖，横撇弯钩较小，笔画之间均笔断意连。左耳旁下部空旷，在与右部组合时很注意穿插避让，使字紧凑而匀称，如“陽”中横画探入耳旁下部，“随”中走之底占下，正好补耳旁下部的空。**女字旁**：女字作左偏旁时，中间的长横变为平挑，撇点中的长点较缩，其避让之态，以及向右上仰之动态非常强烈，组字时，“如”中显其大，而“始”字则让右。**口字旁**：为小偏旁，一般左小靠上，口旁作左旁时多在字的中上部，并有一定向右上仰的斜势，字形也略呈长形。组成口旁的笔画虽短，但均须交待清楚，如“唯”、“味”两字。

应用：请用以上偏旁写法创作出下列字：鋼、錢、鎮、院、陆、除、娘、妙、嫁、喝、鳴、呼。

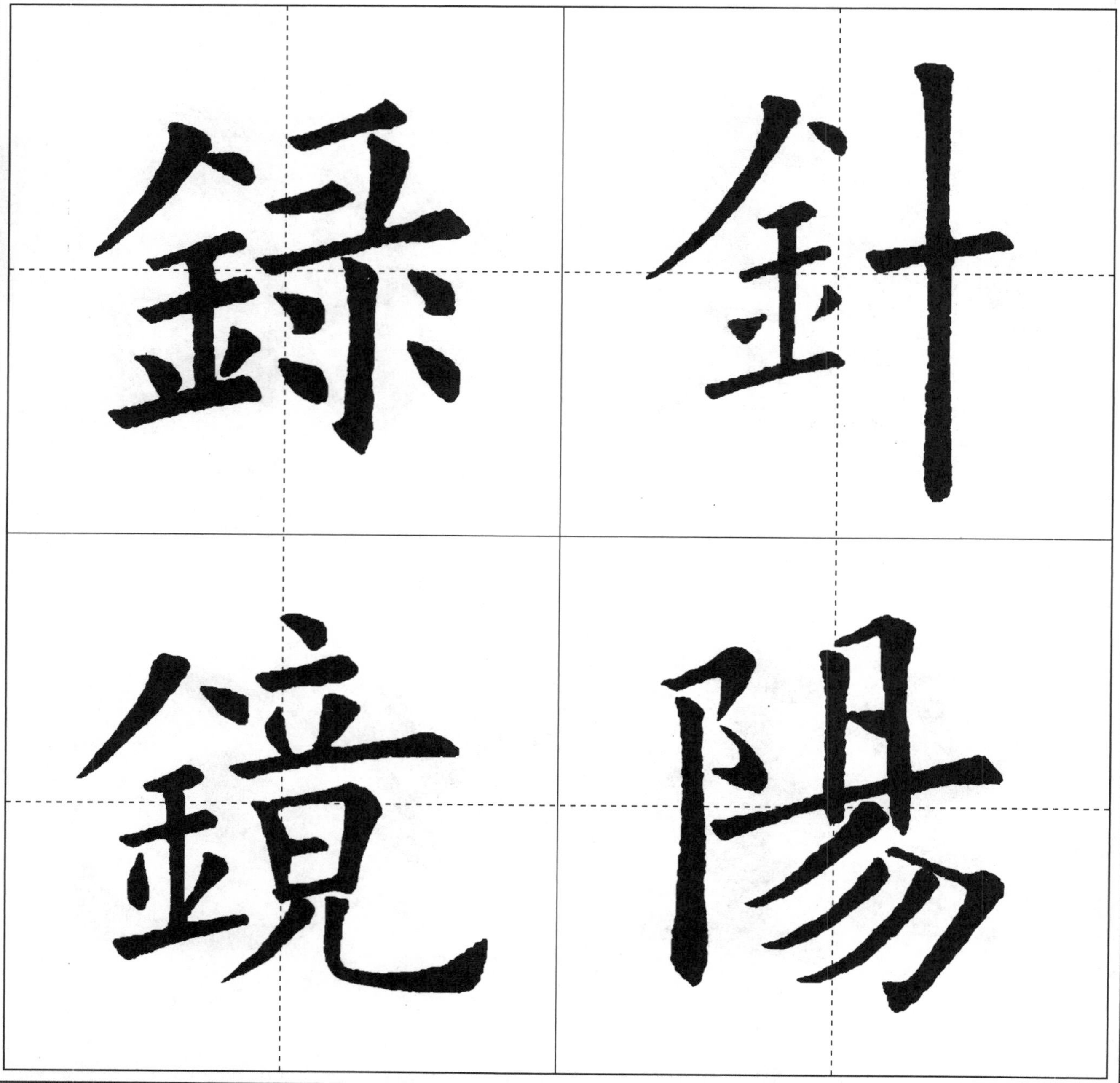

随始唯

隧如味

第 17 课　偏旁部首——言字旁、王字旁、足字旁、立刀旁

临写提示：

言字旁：作左偏旁时，形态瘦长，且稍向右上呈斜势，笔画分布充分考虑避让，第一点居左侧，上横右边伸展，左边与下面笔画左边处于一个垂直线上，使整个偏旁的右边平齐，以利左右组合，这是欧体字中常见的组合方法，如“記”、“詢”两字。**王字旁**：王字旁也属小偏旁，所以在字中多是靠中上，如“理”、“瑣”。与独体字的王一样，其上横上翘，但底横变为斜挑，两横一挑尽可能短，使字形瘦长，竖画也是在横的右侧穿下，以利避让。**足字旁**：口部略呈长形，且底横向左伸出，止部底横也向左伸展，整个偏旁的右部紧凑，字形瘦长。**立刀旁**：作为右偏旁，一般尽可能向右下伸展。立刀旁中，竖钩很长，在“列”中远远长于左边部分，作为第一笔的短竖居于竖钩的中上部，在临写时特别注意两笔画之间的宽度以及与左部的距离。

应用：请用以上偏旁写法创作出下列字：詞、詩、試、現、球、玻、跑、跪、踢、刑、别、刻。

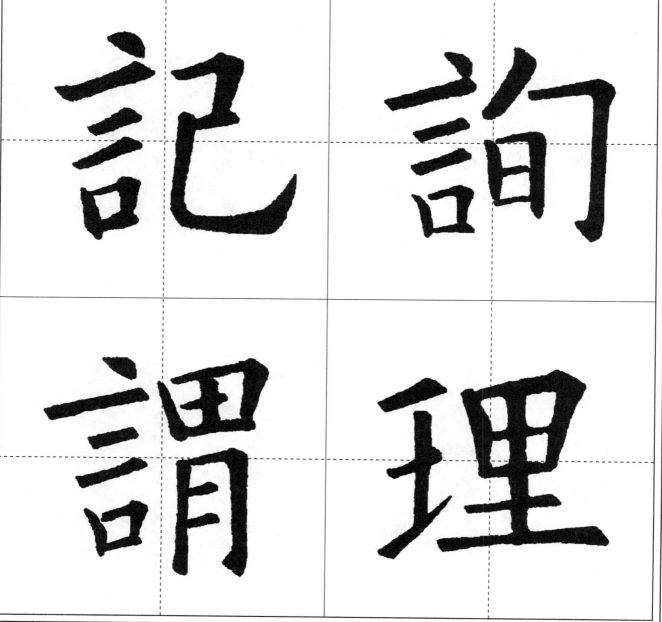

記　詢

謂　理

瑣 玩

躇 跭

列 則

第 18 课　偏旁部首——反文旁、欠字旁、右耳旁、斤字旁

临写提示：

反文旁：在“敢”与“效”两字中反文旁略有区别，“敢”中撇居横之上，“效”中横与撇在中下部相交，差异虽小，但效果差异较大。无论哪种写法，反文旁的下撇须收缩，捺画须伸展。**欠字旁：**此偏旁似一舞者侧身扭腰抬腿之舞姿，尤其是“飲”字，第一撇极弯曲，横撇回抱，竖撇则俏立，捺画向斜势抬起，每一笔画都充满动感和生命力。“歐”中欠字旁虽不如“飲”中强烈，但也自有其态。**右耳旁：**右耳旁明显要比左耳旁居于强势，首先竖画粗壮有力，并向下强势伸展，横撇、弯钩均较粗大，用笔也较方劲。“郡”中右耳所占比例较大，呈左让右之势。“廊”中左部向左上顶，耳旁下展占右。**斤字旁：**此偏旁本来较静的，本帖中将其处理得极富动感和对比。第一笔为横撇，第二笔为竖撇，但处理得很短，缩减其势，第三笔尖横极力向右伸展，第四笔极力向下伸展，如此就打破写法的平整，但与左部组合却更协调了。

应用：请用以上偏旁写法创作出下列字：政、致、散、次、欣、欲、邹、都、祁、斬、斷。

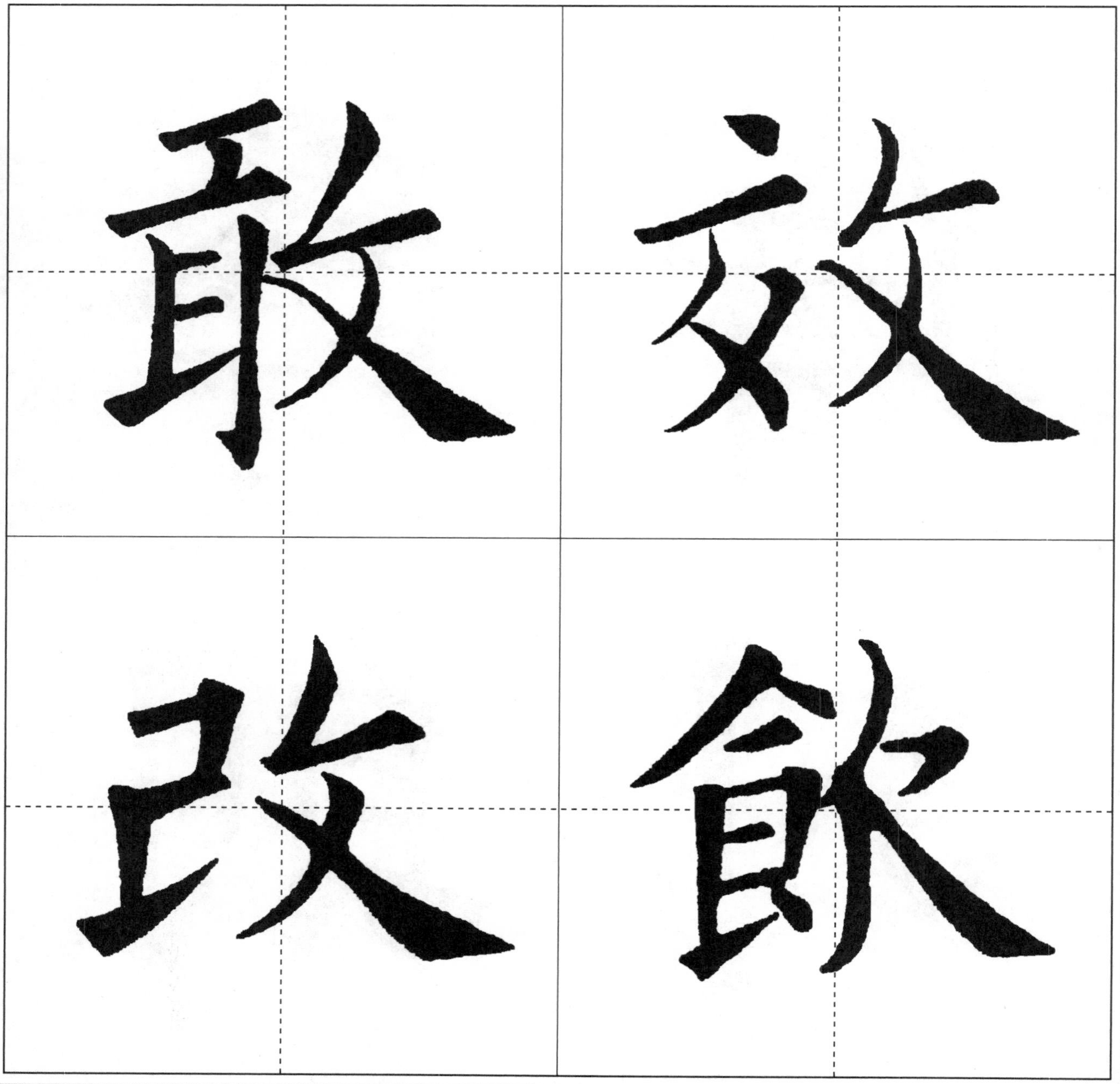

歐 欲

郡 廊

斯 新

第 19 课　偏旁部首——宝盖头、草字头、人字头、广字头

临写提示：

宝盖头：在本帖中宝盖头的第一笔多为竖点，且与横钩的横相交叉，左点柔和灵动，横钩的横较细，与左点虚接或笔断意连，横钩的钩方劲果断。宝盖在组合时尽可能盖住下部，但又不能过头，宝盖的宽度因字而异，如“室”宝盖宽，“家”宝盖稍窄，临写时须仔细观察，多练习才能灵活掌握。**草字头**：在本帖中草字头有两种写法，一种如“萬”字，两短横和两短竖交叉，另一种如“若”，草字头写作两点一短尖横。第一种为最常见写法，注意左短竖一般弱于右竖，右竖也可看作是撇，两竖均向下收。第二种写法只是偶尔用用，但难度要小于第一种。**人字头**：此偏旁给人从上往下盖住的感觉，好像一把撑开的伞，也像瓦房的屋顶，其覆盖之势很强，故撇捺须长，以向两边伸展，一般撇稍弱，以让捺。当然，撇捺的方向还须准确，约 45 度左右，否则站不稳。**广字头**：此既可以说是字头，也可以说左上包的包围框，单独看广字头时，有飞动昂扬之态，其中上横较短，撇很长，取斜势。组合时，被包围部分尽量占右下之势，和广字头的撇达成平衡，其他部分尽可能紧凑，如“庭”、“慶”字。

应用：请用以上偏旁写法创作出下列字：宣、宋、定、黄、花、荷、全、舍、命、康、底、唐。

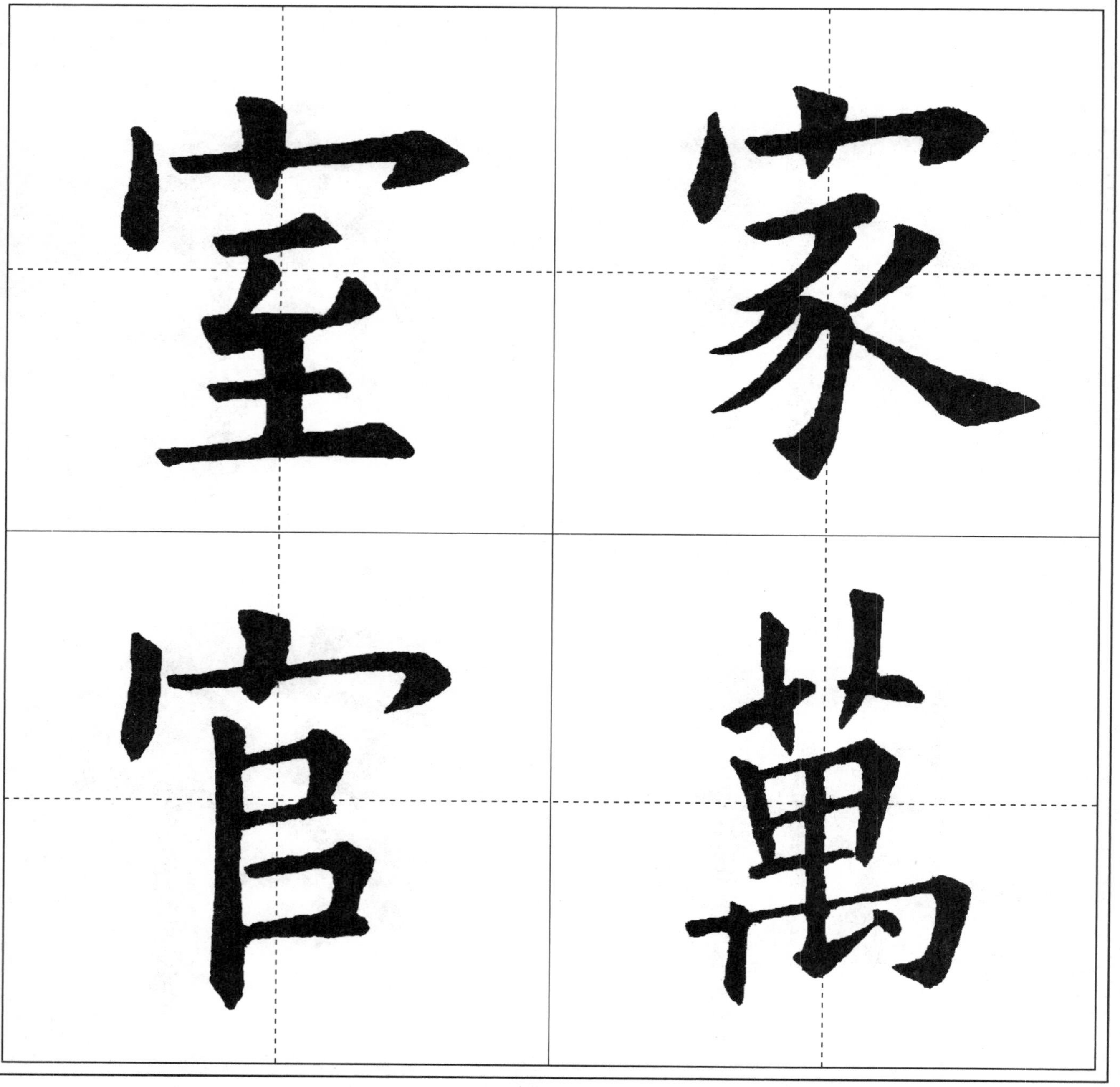

蕩
令
庭

若
含
庶

第 20 课　偏旁部首——雨字头、心字底、皿字底、走之底

临写提示：

雨字头：此偏旁也有强烈的下盖之势，第一横较短，以让下面长长的横钩，左点较灵活，横钩向右伸展，使短竖居其中间靠左，四点整齐匀称，但又富于变化。雨字头由于笔画多，所占比例往往较其他字头大。**心字底：**此偏旁卧钩为主体，左点向左下，与卧钩向右下的斜势形成平衡，中间点向右挑出，引带出右边斜点，三点左中右分布活泼生动，作底时，注意向右错开，才能真正与上部重心对正。**皿字底：**皿字作底与独体字的皿字差异不大，字形很扁，尤其是底横很长，使字的重心极稳，左右两短竖下收，框里的两竖点尽量有变化，如“盖”、“盂”。**走之底：**此偏旁是一个较难写的偏旁，其难点在横折弯撇上，这个部分有许多拐弯，一气呵成，有一定难度，多练习自然会得心应手，这部分与水平线还有一定倾斜度。除此之外，平捺要长而伸展，被托住的部分位置须注意。

应用：请用以上偏旁写法创作出下列字：雷、霜、霹、忠、忘、悲、盒、盆、盗、這、連、退。

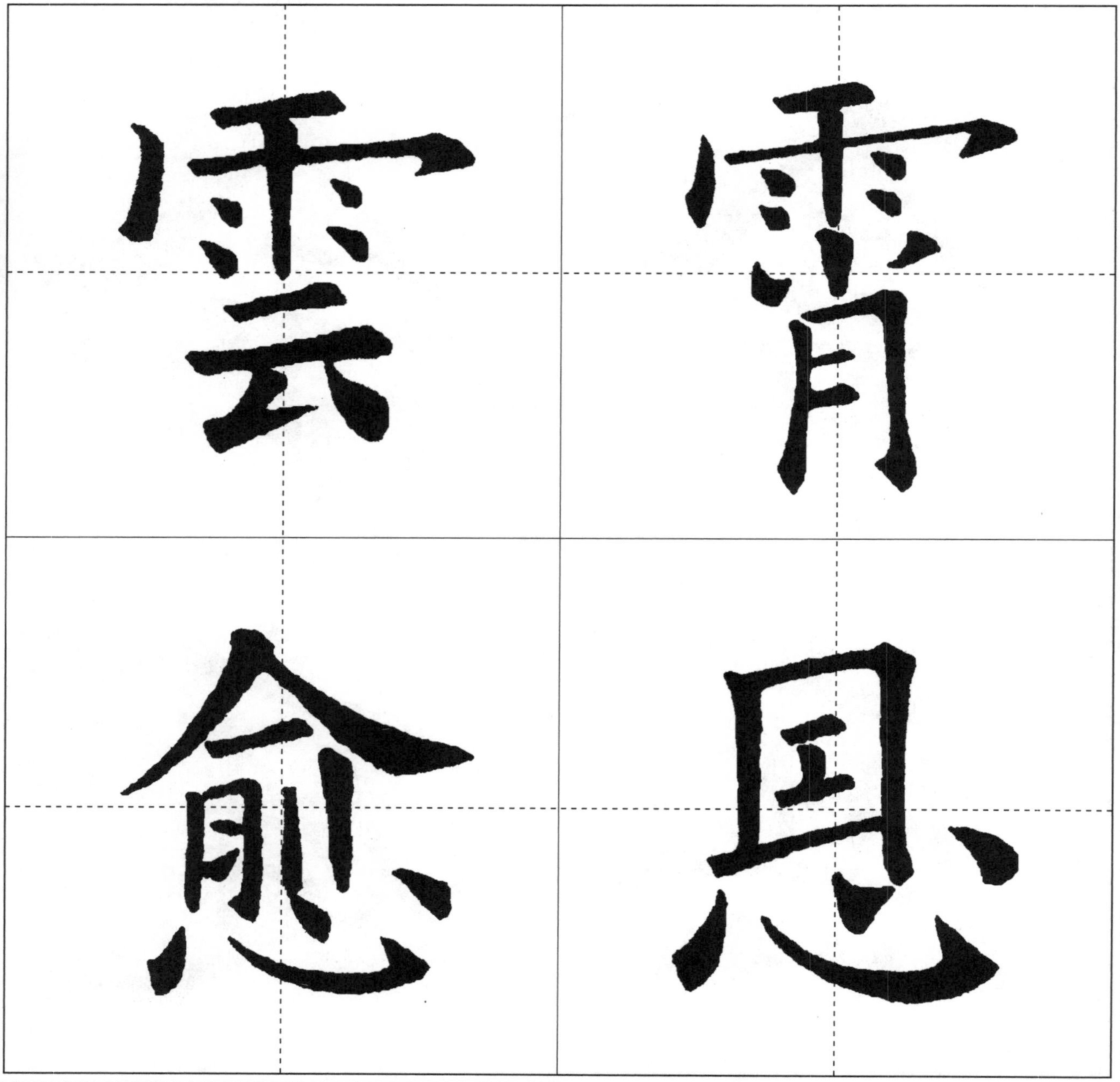

孟

遠

道

惠

盖

運

第21课　偏旁部首——国字框、門字框

临写提示：

国字框：此偏旁基本上能体现楷书的外形轮廓要求。在国字框中，左竖比右竖短，上横比下横短，即是楷书外形的左紧右松，上紧下松。另外，两竖中部均略向字中心弯，呈相背之势，两竖下部均向外略张，使下部开阔。组字时，被包围的部分略靠左部。**門字框**：其外轮廓与国字框要求相似，其中左門框的上部“日”略斜，笔画灵活，右框较正，但不宜封得太死，笔画交接处要留有空隙。

应用：请用以上偏旁写法创作出下列字：因、圍、團、間、閃、闊。

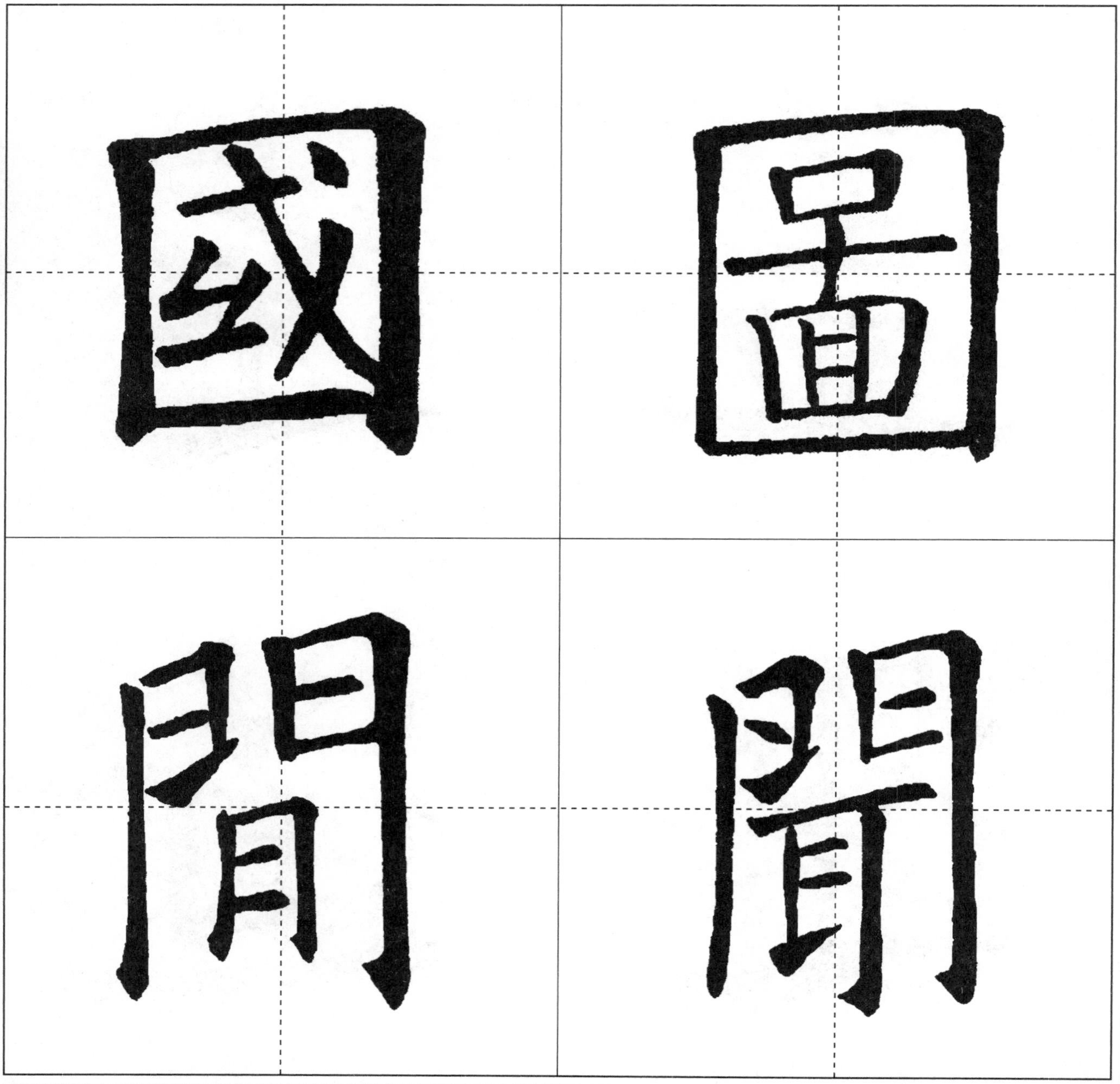

第三章 《九成宫醴泉铭》的结构练习

第 22 课 结构练习——均匀的分割

知识要点：

一、重横：在汉字中，一个字里出现三个或三个以上的横是非常普遍的。在书写时，一般使横与横之间的间隔距离大致相等，这是一种最基本也是最简单的结构匀称法。

二、重竖、重撇：这种情况下一般也是使间隔距离大致相等，不过，重横、重竖、重撇也须尽量使相同的笔画有变化，此处着重突出的是分割的匀称。

三、重横、重竖是均匀分割的典型，实际上，一个字中所有的笔画之间的分割都要均匀，笔画之间分割所形成的块面虽形状各异，但大小应大致相等、协调而匀称，这是结构中最起码的要求和基本功。

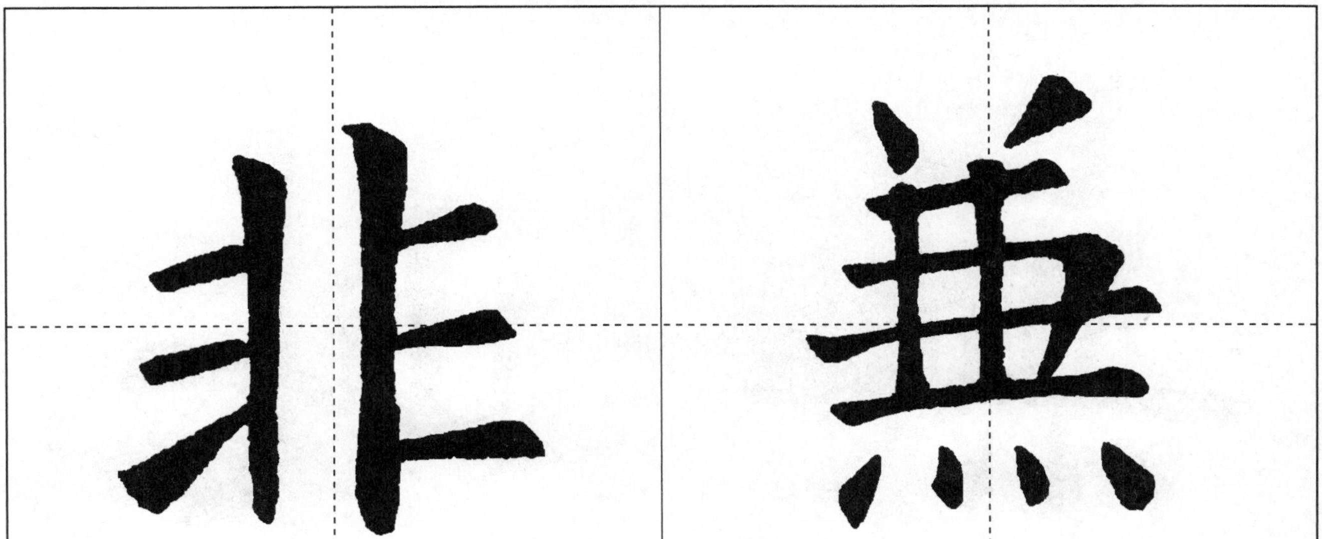

揚 謂 此

耕 壽 無

第 23 课　结构练习——因字立形

知识要点：

汉字中每一个字都有其大致的外形，不可随意改变，临写时须感受和记忆，形成一定的积累，以后写出的字才能合理、美观而生动。当然，临写时务必准确控制。此处以一些独体字为例来归类练习：字形长——月、子、身；字形扁——工、四、而；字形方——田、曰；字形斜——乃、力；正梯形——五、并；倒梯形——百、玄；正三角形——人、山；倒三角形——下、可；菱形——中、申；字形扁——氏、也。

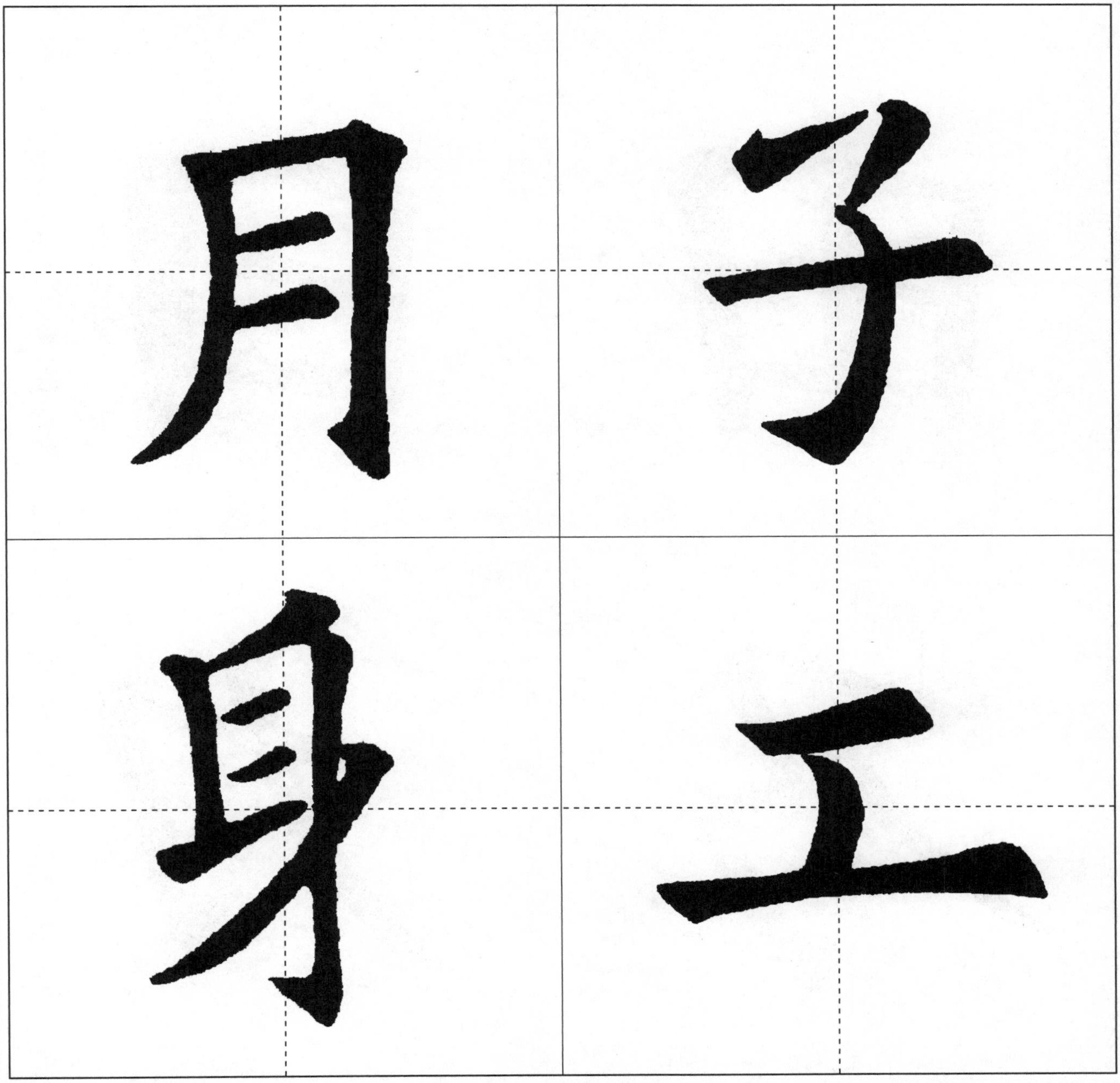

四 而

田 日

乃 力

並 玄 山

五 百 人

可

申

也

下

中

氏

第 24 课　结构练习——避让

知识要点：

在本帖中左右结构中的避让法是无处不在的，它在结构处理中起到极重要的作用，很多偏旁的写法就是因避让而形成的，前面偏旁部首的练习中已多处提及。所谓避让，是左右两边在组合时，相邻部分的笔画尽量收缩，使之在上下垂直线上尽量平齐，这样，两部分组合在一起时匀称、协调、紧凑，否则就会出现两边笔画互相碰撞，或左右两边分得很远。欧体结构紧凑，中宫紧结，外部疏放，很大程度上是充分运用了避让法，如“穢”、“蠲”、“觀”、“雜”等字，临写时注意观察和把握这些字中间部分笔画及空间的处理。

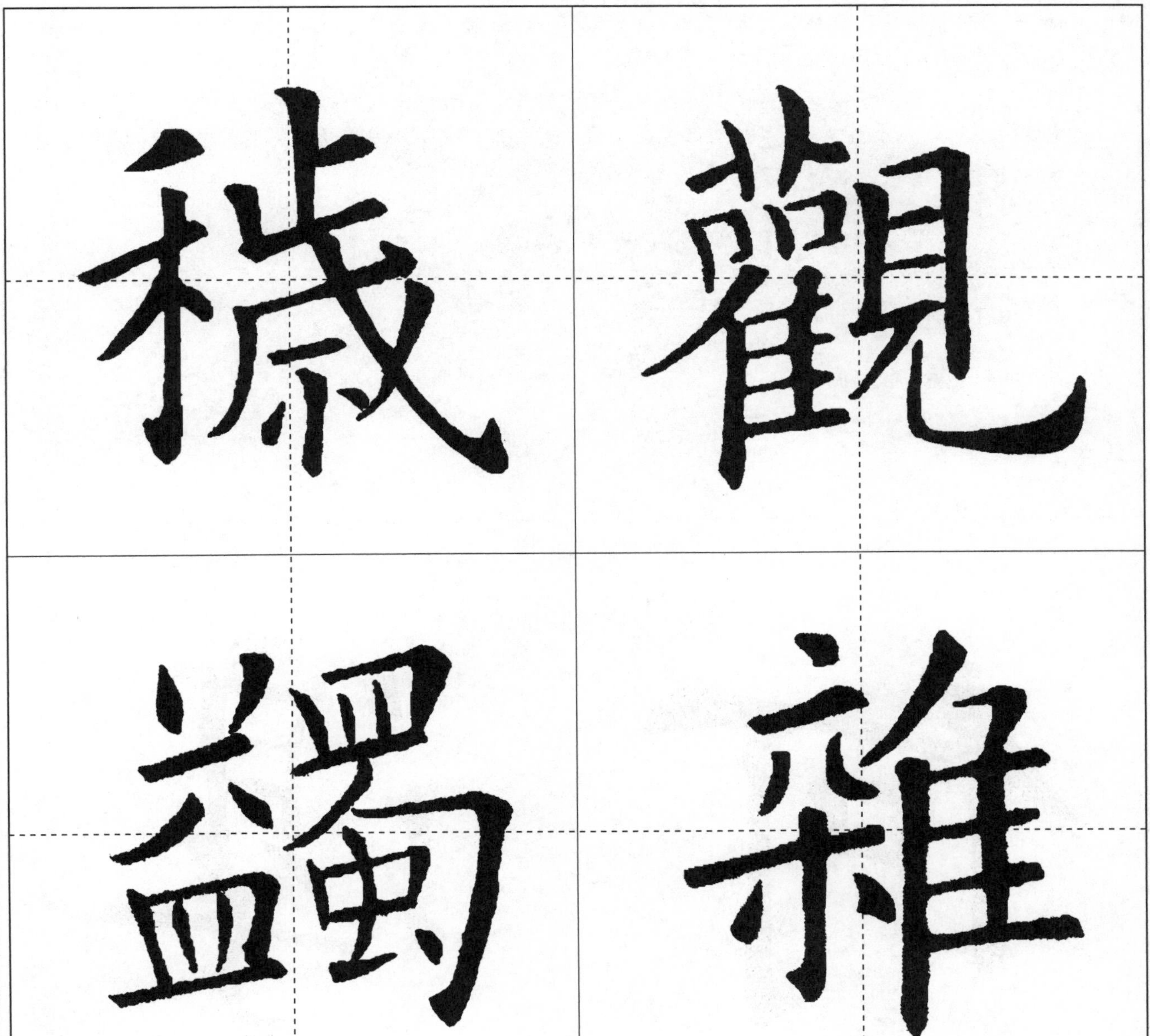

第25课　结构练习——左右结构的比例

知识要点：

一、左右搭配的比例是左右结构在组合时最重要的内容，如果大的比例关系错了，这个字不可能好看。要处理好比例关系，首先要从局部观察的习惯中跳出来，用整体眼光和敏锐的平面空间感觉来把握。因为我们在写字时是一笔一笔写的，我们观察往往是盯着一笔一笔的局部；再者，结构的练习本来就须从大处着眼，而笔画的练习须对局部细节体察入微，既能把握住大局，又能照顾到尽可能多的细节，这才是我们要做到的，观察能力和观察习惯须有意识地培养，才能越来越强。

二、在处理大的比例关系时，我们可以找到一些规律，比如有左偏旁的字，一般左边偏旁部分所占字的宽度为三分之一，右边三分之二，是左窄右宽结构，当左右笔画数及长短相差不大时，左右两边宽度相等。左宽右窄的字相对要少些。

三、左右结构中有左边极小者，也有右边极小者，这时须注意左小靠上右小靠下原则。同理，如左比右低则左靠上，右低则靠下。

四、不过，无论分析或归类得多么详细和清楚，都只能告诉你大致的比例关系。在书写时，两部分具体宽度大小和分寸的把握，还须你有敏锐的平面空间观察和分割能力以及控制笔画的功夫。当然，这些比例关系是相对的，有一定余地，并不是绝对的，熟练后可灵活处理。

五、分类练习：

左窄右宽——何、淳；　左右宽度相等——雖、縣；
左宽右窄——形、顯；　左高右低——物、勃；
左右同高——於、肌；　左低右高——醴、城；
左小右大——竭、時；　左大右小——加、取；
左中右——謝、髒、微、卿。

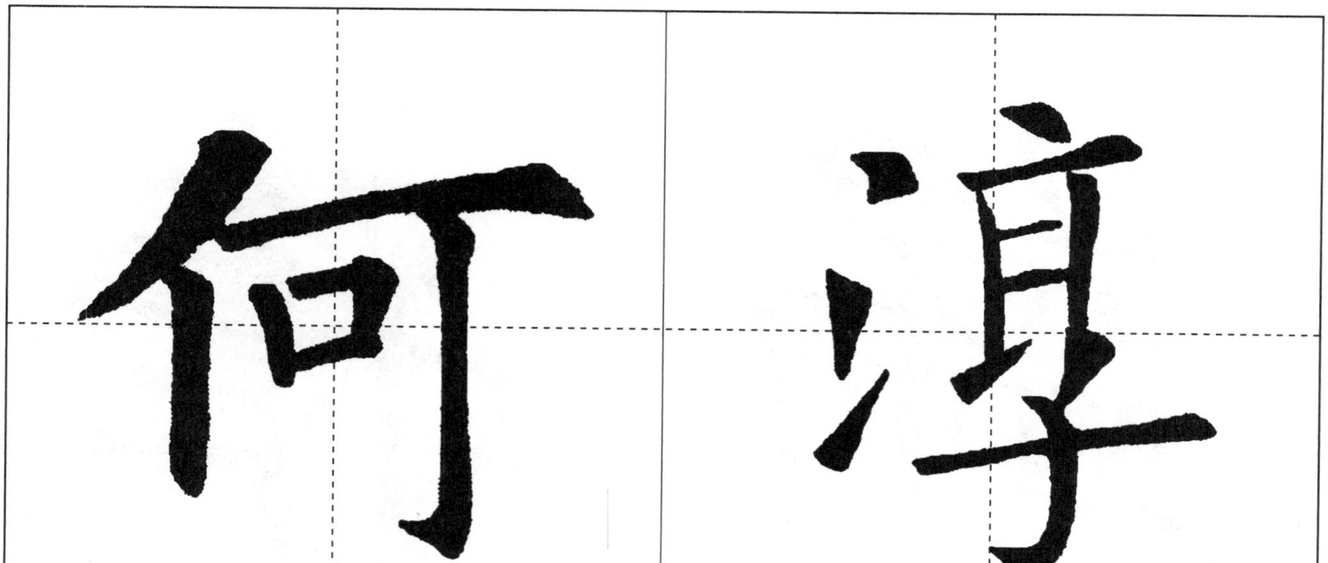

縣顯勃
雖形物

肌城時

於醴渴

耳 職 卿

加 謝 徵

第 26 课　结构练习——上下结构

知识要点：

一、上下结构中上下的比例也是在组字搭配时最重要的内容，同样也须从大处着眼，局部与整体结合。

二、上下结构在比例准确的基础上还有一个极重要的内容，即上下重心对正，不能让字是斜的、歪的。这种重心感觉也须有意识地多练多观察才能获得，初学者经常犯这类错误。

三、与左右结构一样，在临写或创作时，上下结构分类是比较容易的，但具体的长短、大小，其分寸是不容易把握的，须多练才能有这种敏锐的感觉。

四、分类练习：

上扁下长——室、華；上长下扁——思、書；上下高度相等——案、思；

上宽下窄——質、寶；上窄下宽——昆、品；上小下大————盖、炎；

上大下小——雲、鏨；上中下——靈、莫。

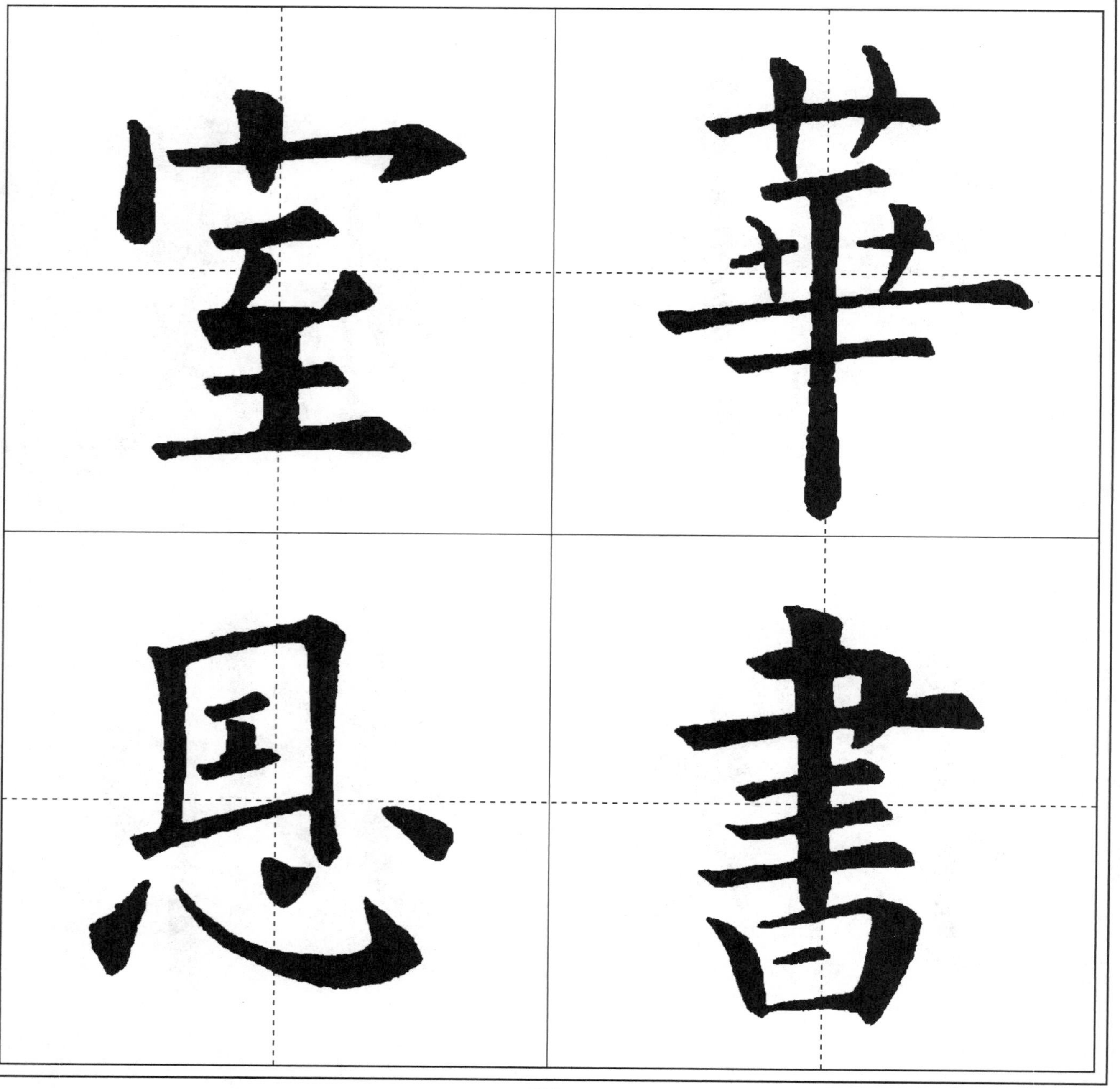

思

寶

品

案

質

昆

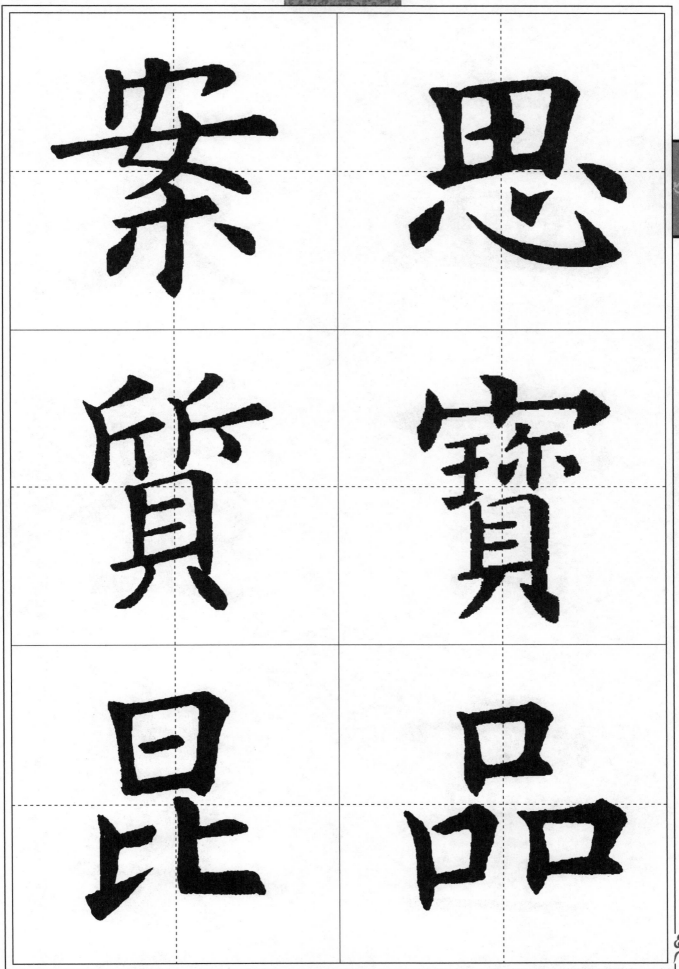

炎壑其

盖雲靈

第27课　结构练习——包围结构

知识要点：

一、包围结构以全包围和上包下为代表，其他如左上包、左下包也可以看做是上下结构，在偏旁部首里已有讲述。

二、包围结构的字在写好包围框后，框里面的部分安排得匀称协调还须费一番功夫，如“圖”字，既要保证里面是均匀分割，还要保证里面部分与外框既不能粘连，又不能太空旷，多写这类字能训练平面空间的控制与分割。在“固”字中里面的“古”略居左侧，“周”字中“吉”收缩较多，左右两边较透气，“同”字被包围部分居中上位置。

三、包围结构的字很少，选取几个代表性的字练熟后，很容易就能举一反三，触类旁通。

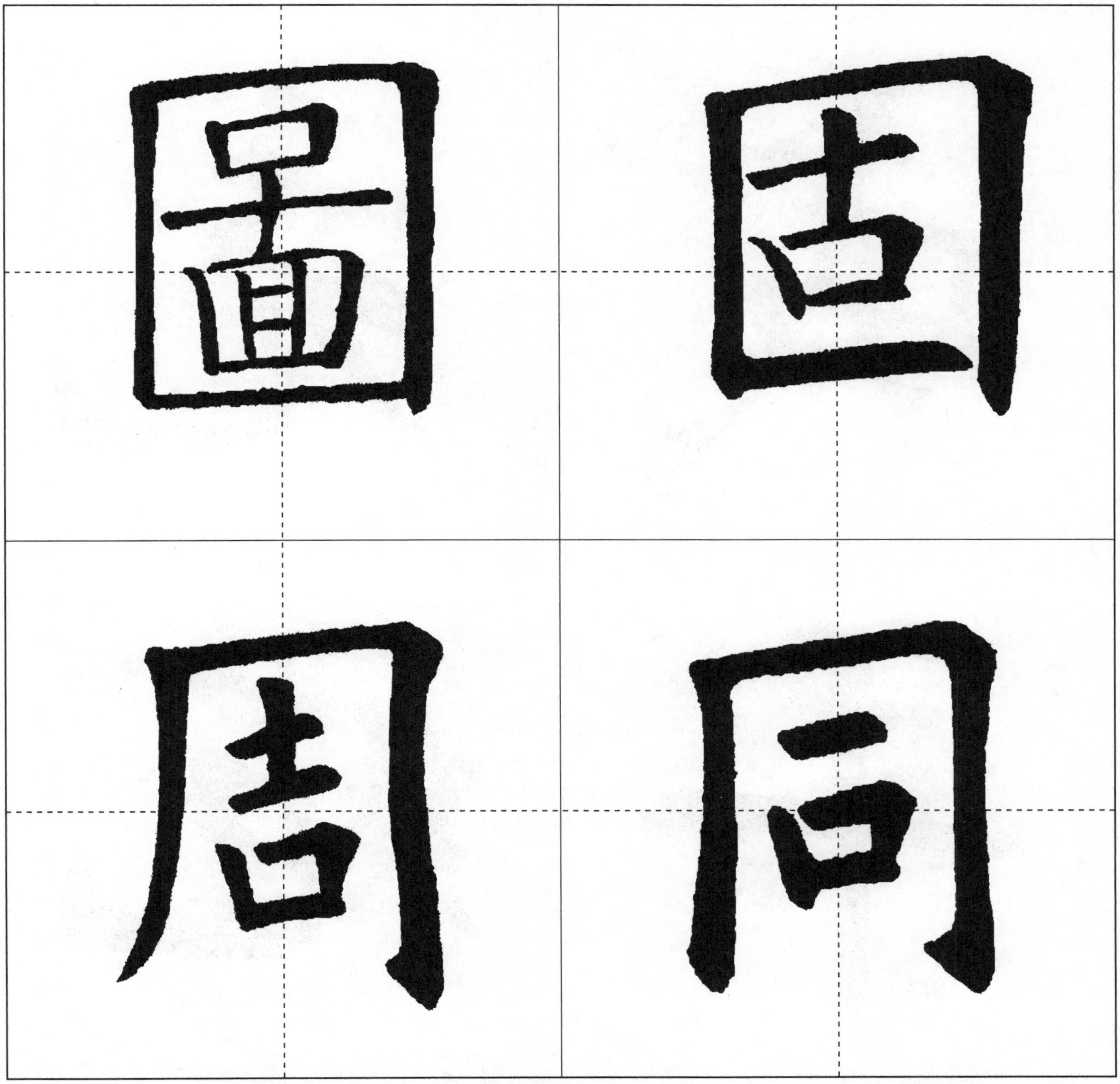

第 28 课　结构练习——左紧右松、上紧下松

知识要点：

左紧右松、上紧下松可以说是绝大多数汉字都要遵循的结构布势原则，这在《九成宫醴泉铭》中尤其突出。从另一角度看，欧体的结构险峻很大程度上是由左低右高、左收右放形成的左右巨大反差来体现的，具体表现在一些字上尤其明显。比如“成”左边竖撇收缩，右边斜钩极长，上下两横极力上斜，且上部紧窄，下部极开阔；“高”除横较斜外，左侧的竖短于右侧的竖，字中笔画明显向左靠，尤其横折钩在右部极为伸展；“絕”、“竦”等字左半部很紧凑，右部疏朗；再如“年”、“美”等字上部紧结，下部伸展开阔。

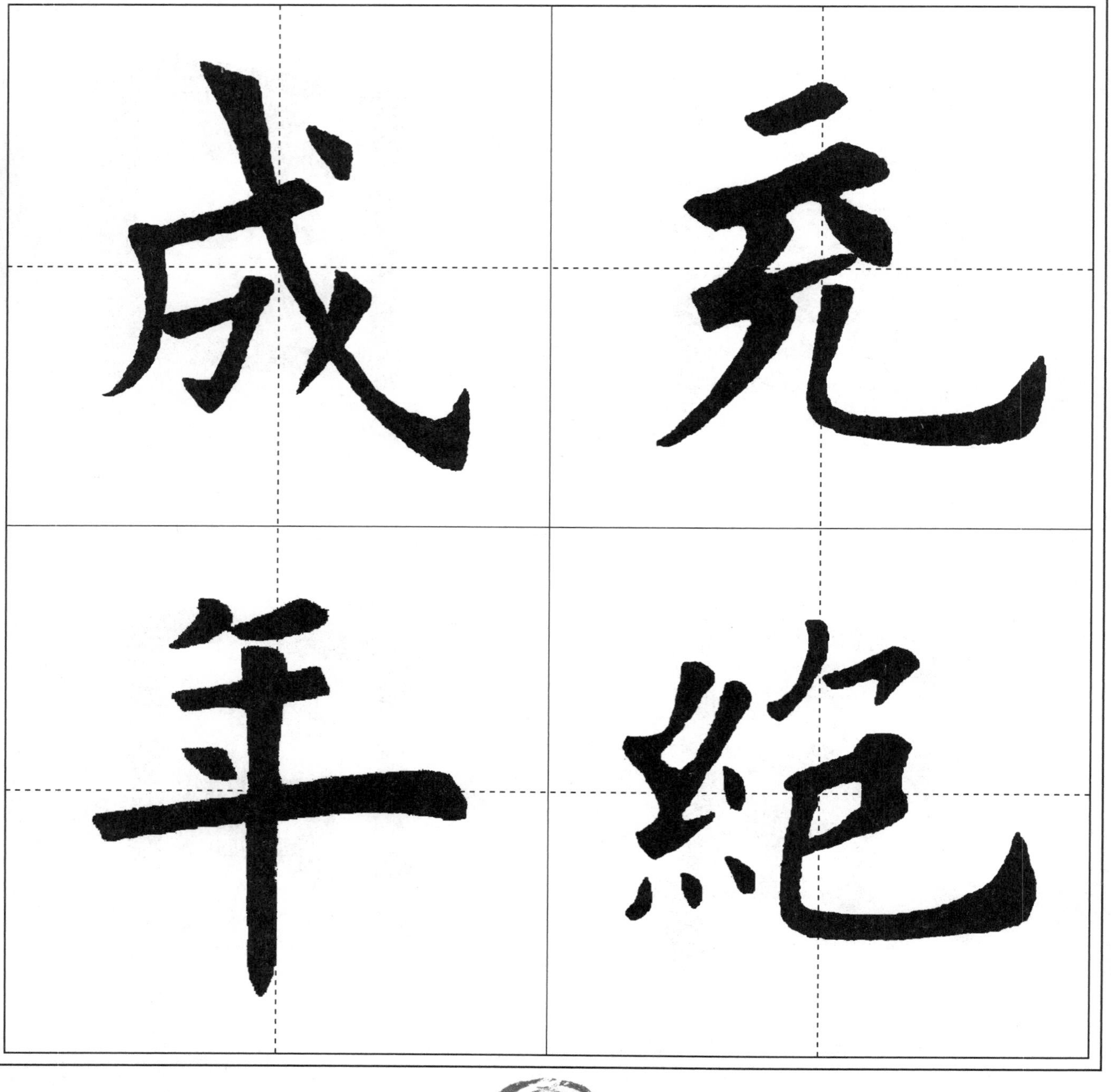

踰
高
慶
竦
臨
美

第29课　结构练习——大与小、向与背

知识要点：

一、**大与小**：汉字笔画有多有少，有简有繁，字形就有大有小，大者笔画宜细，点画之间要紧凑，穿插得当，不使其显大；小者笔画要粗壮饱满，先占其势，不使其显小。但是，字形小的字还是要略小于其他字所占的位置，否则就会显得突兀和空。《九成宫醴泉铭》中将大小字处理得极适当，如“云”与“壽”。

二、**向与背**：向背关系是汉字的一个最基本的动态，由向背之态可以引领我们感受到书法中各字或各字中各部分那富于生命力的、让人有无限联想的姿态。也能让我们知道字中的聚散开合、穿插避让都是深有其理的。看：“何”、“錫”字如两人相向着低头窃窃私语，多么生动的画面呀！看看吧，帖中的每一个字都是生动的，让我们好好去感受吧！

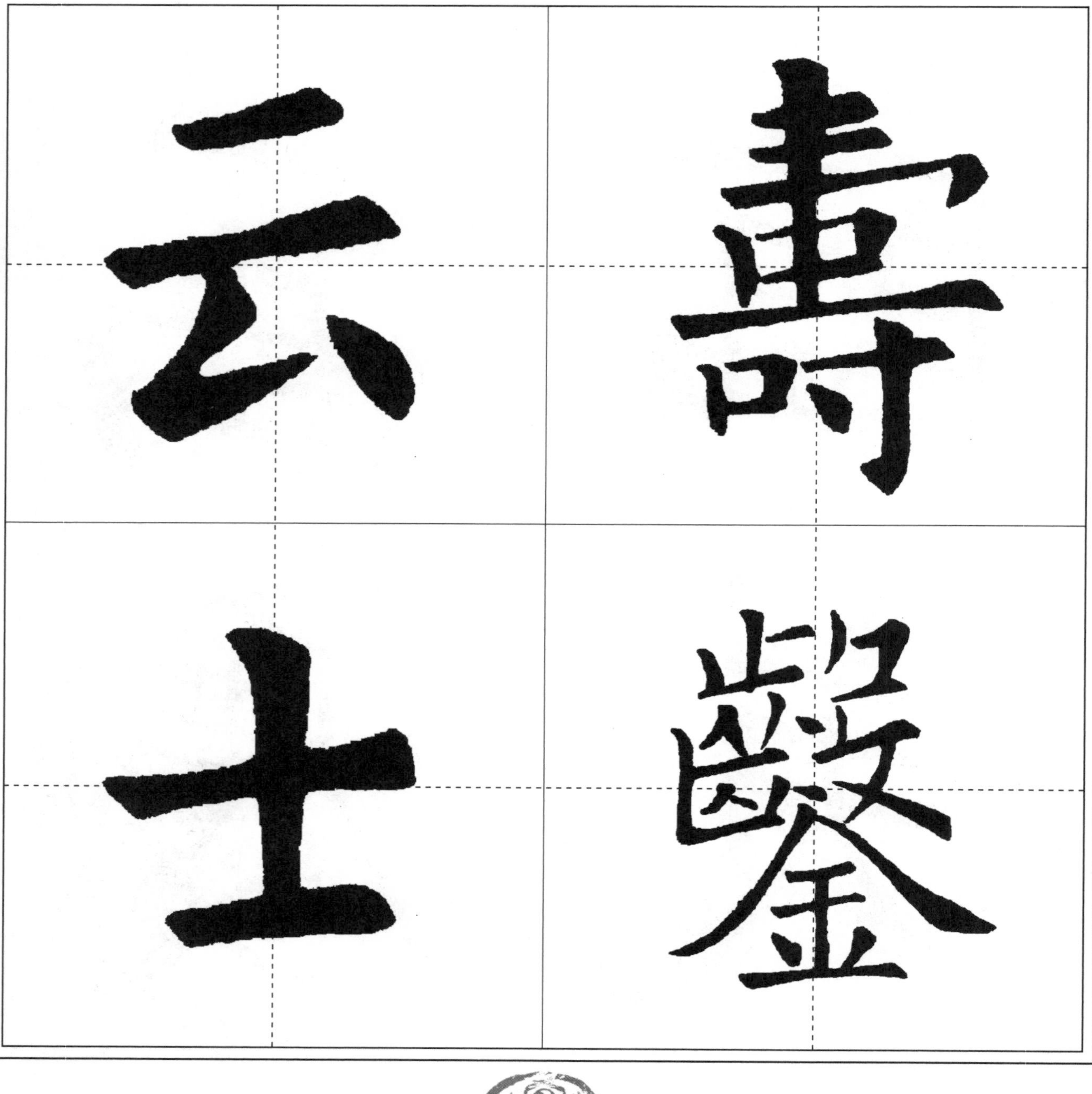

錫　肌　矩

何　動　視

附：《九成宫醴泉铭》原拓（节选）

（一）

（二）

成之宫此則隨
之仁壽宫也冠
山抗殿絶壑爲
池跨水架楹分

（三）

（四）

百尋下臨則崢
嶸千仞珠璧交
暎金碧相暉照
灼雲霞蔽虧日

（五）

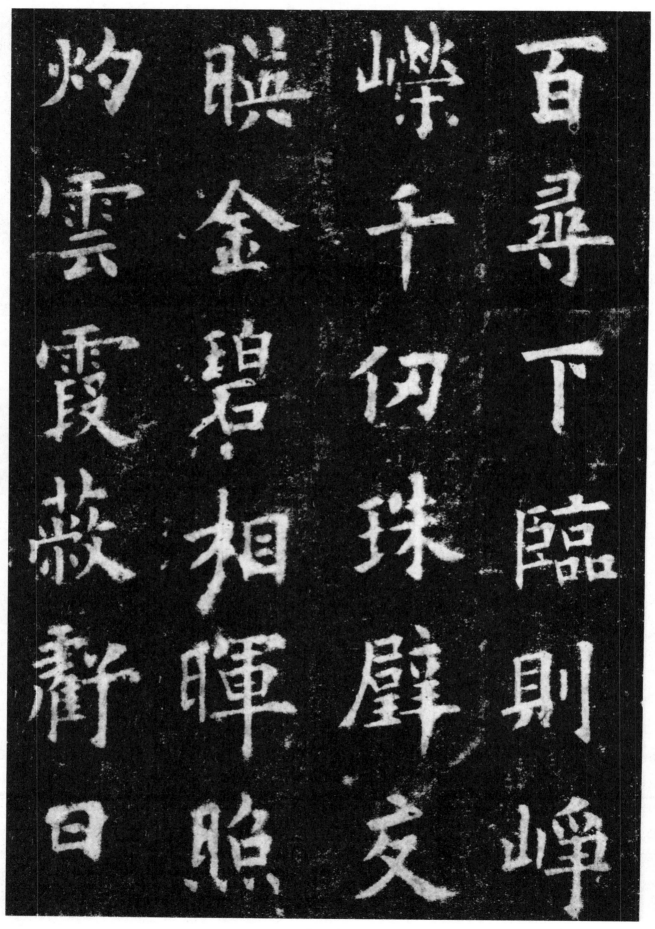

（六）

金無鬱蒸之氣
微風徐動有淒
清之涼信安體
之佳所誠養神

（七）

之勝地漢之甘

泉不能尚也

皇帝爰在弱冠

經營四方逮乎

（八）

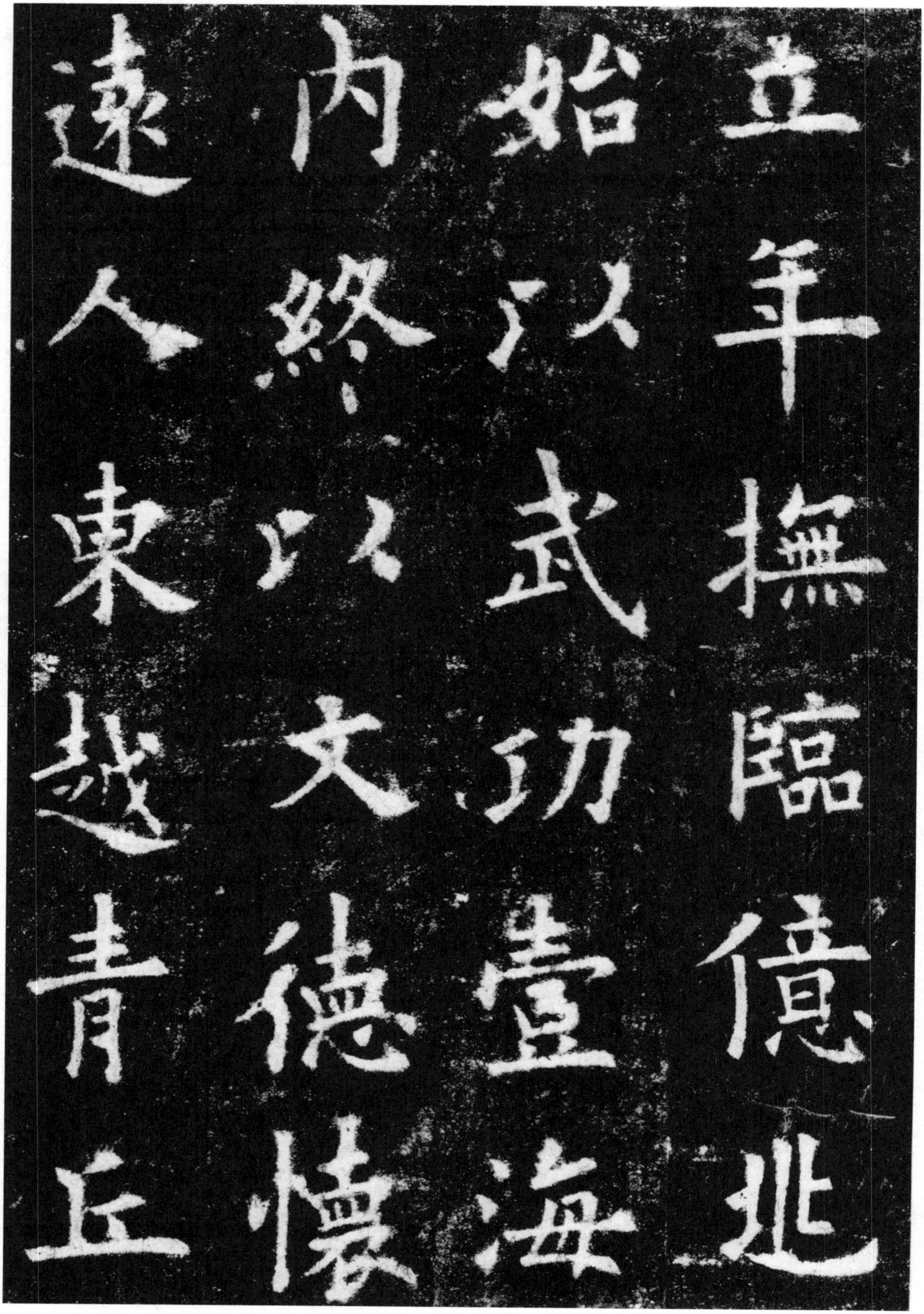

立年撫臨億兆始以武功壹海内終以文德懷遠人東越青丘

（九）

南踰丹徼皆獻
琛奉贄重譯來
王西暨輪臺北
拒玄闕並地列

（十）

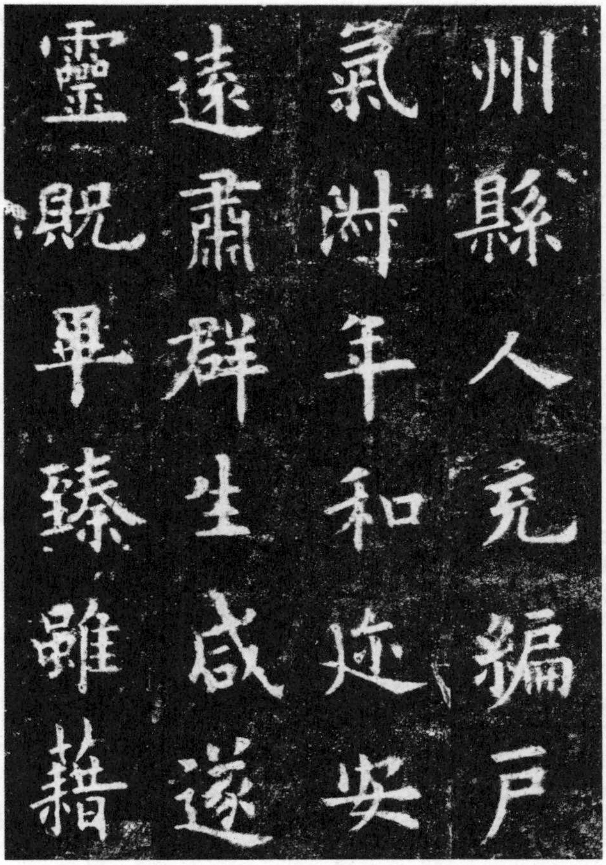
州縣人充編戶
氣淑年和邇安
遠肅群生咸遂
靈貺畢臻雖藉

（十一）

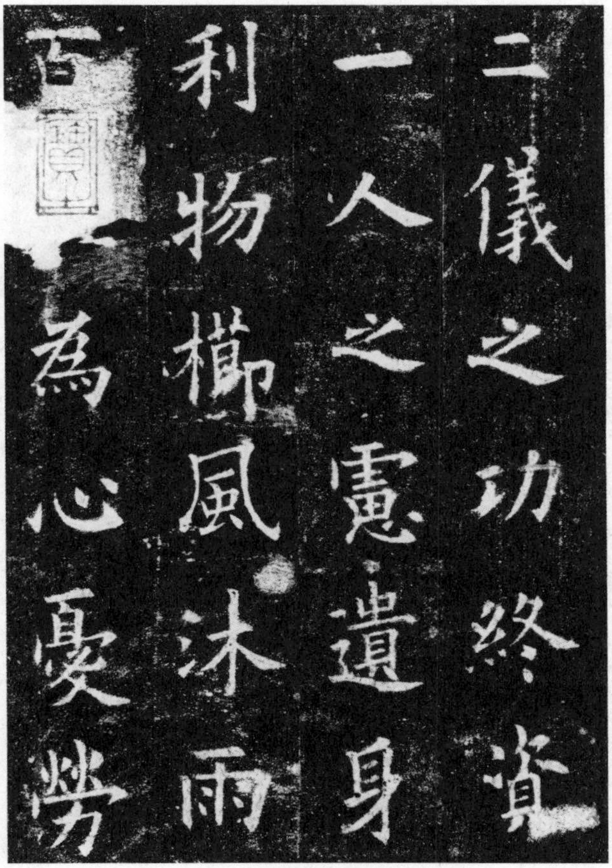
二儀之功終資
一人之慮遺身
利物櫛風沐雨
百為心憂勞

（十二）

成疾同堯肌之
如腊甚禹足之
胼胝針石屢加
腠理猶滯爰居

（十三）

京室每弊炎暑
群下請建離宮
庶可怡神養性
聖上一夫之

（十四）

力惜十家之產
深閉固拒未肯
俯從以為隨氏
舊宮營於曩代

（十五）

棄之則可惜毀
之則重勞事貴
因循何必改作
於是斲彫為樸

（十六）

損之又損去其
泰甚葺其頹壞
雜丹墀以沙礫
間粉壁以塗泥

（十七）

玉砌接於土階
茅茨續於瓊室
仰觀壯麗可作
鑒於既往俯察

（十八）

卑儉足垂訓於
後昆此所謂至
人無為大聖不
作彼竭其力我

（十九）

享其功者也然
昔之池沼咸引
谷澗宮城之內
本乏水源求而

（二十）

無之在乎一物
既非人力所致
聖心懷之不忘
粵以四月甲申

（二十一）

朔旬有六日己
亥上及中宫
歷覽臺觀閑步
西城之陰躊

（二十二）

躇高閣之下俯察
厥土微覺有潤
因而以杖導之
有泉隨而涌出

（二十三）

乃承以石檻引
為一渠其清若
鏡味甘如醴南
注丹霄之右東

（二十四）

流度於雙闕貫
穿青瑣縈帶紫
房激揚清波滌
蕩瑕穢可以導

（二十五）